JN060316

一冊に凝縮
Compact Edition

Excel & Word

の **基本が 学べる 教科書**

手軽に学べて、
今すぐ役立つ。

青木志保

SB Creative

▒ 本書に関するお問い合わせ

　この度は小社書籍をご購入いただき誠にありがとうございます。小社では本書の内容に関するご質問を受け付けております。本書を読み進めていただきます中でご不明な箇所がございましたらお問い合わせください。なお、ご質問の前に小社Webサイトで「正誤表」をご確認ください。最新の正誤情報を下記Webページに掲載しております。

本書サポートページ

https://isbn2.sbcr.jp/23487/

上記ページの「サポート情報」をクリックし、「正誤情報」のリンクからご確認ください。なお、正誤情報がない場合は、リンクは用意されていません。

ご質問送付先
ご質問については下記のいずれかの方法をご利用ください。

Webページより
上記サポートページ内にある「お問い合わせ」をクリックしていただき、メールフォームの要綱に従ってご質問をご記入の上、送信してください。

郵送
郵送の場合は下記までお願いいたします。
　〒105-0001
　東京都港区虎ノ門2-2-1
　SBクリエイティブ 読者サポート係

はじめに

　エクセルで帳票を作成し、ワードで報告書を作成する。どちらも日々の業務で頻繁に行っている作業です。現在では、エクセルやワードは仕事環境に密接に組み込まれ、使いこなせることが前提の業務用ツールとなっています。

　とはいえ、エクセルやワードを使いこなせるようになるまでには多くの学習時間が必要であり、日々の忙しい仕事に加えてエクセルやワードの学習に時間を割くのは大変です。必要な機能にしぼって、効率よく学習する方法が求められます。

　本書はエクセルとワードの「基本」を一冊でまとめて学べる入門書です。エクセルやワードを使った業務をスムーズにこなしていくため知識を手軽に学習できることを目指して構成されています。

　最初に、エクセルとワードで共通する操作を解説し、その後でそれぞれの機能を解説しています。それぞれのレッスンを順番に行っていきましょう。また、必要な項目だけを抜き出して学習することもできます。操作手順も丁寧に解説してありますので、すぐに使い方が身につくはずです。

　練習用のファイルも用意してありますので、ファイルをWebからダウンロードして、まずは、本書の手順に合わせて操作を行ってみてください。次は、設定内容をちょっと変えるなど、いろいろと試しながら知識を広げていきましょう。

　エクセルとワードの基本を学んで、効率的に仕事を行えるようになりましょう。

2023年11月

青木 志保

本書の使い方

本書は、日々の仕事に必要なエクセルとワードの知識を手軽に学習することを目指した入門書です。123のレッスンを順番に行っていくことにより、エクセルとワードの基本がしっかり身につくように構成されています。

紙面の見方

セクション
本書は11章で構成されています。レッスンは1章から通し番号が振られています。

手順
レッスンで行う操作手順を示しています。画面と説明を見ながら、実際に操作を行ってください。

Section
03 ファイルを新規に作成する

表や文書を作成するには、ファイルを新規作成する必要があります。ホーム画面を表示し、[空白のブック]または[白紙の文書]をクリックしましょう。ブックの表示中は、[ファイル]をクリックしてホーム画面を表示し、[新規]をクリックします。本章ではエクセルの画面をメインに解説をしていますが、ワードでも同様の操作を行うことができます。

::: ファイルを新規に作成する

パソコンを起動してデスクトップ画面を表示します。デスクトップ画面の下側にある「⊞」をクリックします。

1 「⊞」をクリック

パソコンにインストールされているアプリケーションから探します。すべてのアプリをクリックします。

2 すべてのアプリをクリック

アプリケーションの一覧からExcelまたはWordをクリックします。

3 ExcelまたはWordをクリック

20

4

仕事に役立つ!	日常的にエクセルとワードを利用する人のニーズを研究し、今すぐ仕事に役立つ知識を集めました。
手軽に学べる!	ほどよいボリュームとコンパクトな紙面で、必要な知識を手軽に学ぶことができます。
すぐに試せる!	練習用ファイルをWebからダウンロードすることができます。操作を試しながら学習していきましょう。

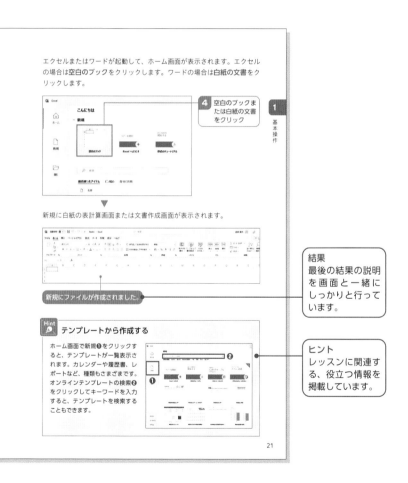

エクセルまたはワードが起動して、ホーム画面が表示されます。エクセルの場合は**空白のブック**をクリックします。ワードの場合は**白紙の文書**をクリックします。

4 空白のブックまたは白紙の文書をクリック

1 基本操作

新規に白紙の表計算画面または文書作成画面が表示されます。

新規にファイルが作成されました。

結果
最後の結果の説明を画面と一緒にしっかりと行っています。

Hint テンプレートから作成する

ホーム画面で新規❶をクリックすると、テンプレートが一覧表示されます。カレンダーや履歴書、レポートなど、種類もさまざまです。オンラインテンプレートの検索❷をクリックしてキーワードを入力すると、テンプレートを検索することもできます。

ヒント
レッスンに関連する、役立つ情報を掲載しています。

目次 contents

第1章 基本操作

第7章 文章の入力

ワード

第8章 書類の作成と設定

ワード

ワード

第 **9** 章 文書の編集

第10章 表や図の挿入

第11章 印刷の詳細設定

練習用ファイルの使い方

学習を進める前に、本書の各レッスンで使用する練習用ファイルを、以下のWebページからダウンロードしてください。

練習用ファイルのダウンロード

https://www.sbcr.jp/support/4815617789/

上記のURLを入力してWebページを開いて、**Excel&WordTraining.zip**をクリックして練習用ファイルをダウンロードします。
練習用ファイルはZIP形式で圧縮されています。ダウンロード後は、圧縮ファイルを展開して、任意のフォルダーに保存してご使用ください。

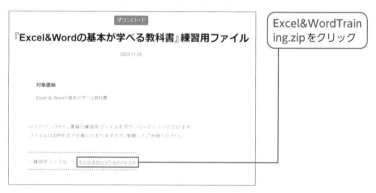

Excel&WordTraining.zipをクリック

練習用ファイルを開こうとすると、画面の上部に警告が表示されます。これはインターネットからダウンロードしたファイルには危険なプログラムが含まれている可能性があるためです。本書の練習用ファイルは問題ありませんので、**編集を有効にする**をクリックして、各レッスンの操作を行ってください。

編集を有効にするをクリック

第 1 章

基本操作

Section 01 エクセルとは

まずはエクセルで何を行うことができるのかを確認しましょう。表の作成や関数を使った計算、グラフの作成などを行うことができます。作成したデータは、印刷したり PDF に出力して使用することが可能です。

エクセルでできること

社員名簿						
社員No.	名前	住所		電話番号	部署	支社
		都道府県	市区町村			
2	久保田浩紀	埼玉県	さいたま市	080-1111-2222	経理部	埼玉支社
3	本田正人	埼玉県	川口市	090-5555-3333	営業部	東京支社
6	上田紗姫	千葉県	習志野市	080-2222-7777	経理部	千葉支社
1	広沢亮	東京都	江東区	090-0000-1111	営業部	東京支社
4	秋野育子	東京都	江東区	070-2222-3333	営業部	東京支社
5	山崎優斗	東京都	江戸川区	090-8888-9999	営業部	千葉支社

表の作成
ひらがな、カタカナ、漢字、アルファベットなどの文字や数字を入力することで、表を作成することができます。

	1月売上	2月売上	3月売上	合計
東京店	¥356,500	¥386,470	¥493,561	¥1,236,531
埼玉店	¥128,259	¥258,746	¥189,574	¥576,579
北海道店	¥306,958	¥654,231	¥459,631	¥1,420,820
大阪店	¥228,547	¥798,215	¥504,920	¥1,531,682
広島店	¥129,687	¥98,650	¥89,160	¥317,497
合計	¥1,149,951	¥2,196,312	¥1,736,846	¥5,083,109

計算
さまざまな関数や計算式を利用して、計算することができます。計算はセルを参照して簡単に行うことが可能です。

	1月	2月	3月	4月	5月	6月	(万円)
本店	105	112	108	110	99	120	
南店	78	80	82	83	82	91	
東店	97	95	91	98	89	91	
北店	89	82	83	85	78	82	
西店	56	67	70	68	65	73	

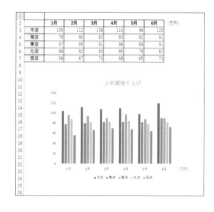

上半期売り上げ

グラフの作成
作成した表をグラフにすることができます。グラフにはさまざまな種類があり、用途に合わせて変更することが可能です。

::: エクセルの画面

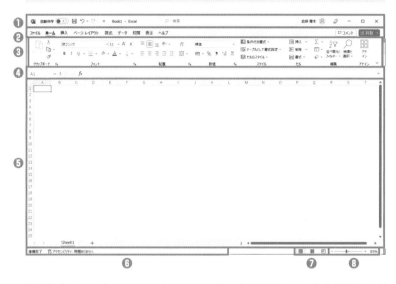

❶「クイックアクセスツールバー」です。初期設定では、「上書き保存」のアイコンが表示されています。

❷「タブ」が表示されています。「ファイル」「ホーム」など、それぞれのタブをクリックすることで、対応する「リボン」がその下に表示されます。

❸「リボン」が表示されています。リボンに表示された項目を選択すると、対応する機能が実行されます。リボンは機能の種類ごとに「グループ」に分けられています。

❹現在選択されているセルやセルに入力されている内容が表示される領域です。

❺表計算画面です。文字や数字をセルに入力する領域になります。

❻「ステータスバー」です。ページ数や文字数、言語など、文書の作成状態を確認できます。

❼表示選択ショートカットが表示されています。ショートカットを選択すると、「閲覧モード」「印刷レイアウト」など、文書の表示モードを切り替えることができます。

❽作成中の文書の表示を拡大 / 縮小することができます。

Section 02 ワードとは

まずはワードで何を行うことができるのかを確認しましょう。文書の作成、編集から、フリガナや箇条書きなどのデザイン、文書への表や写真の挿入、印刷なども行うことができます。

⊞ ワードでできること

文字や数字の入力

ひらがな、カタカナ、漢字、アルファベットなどの文字や数字を入力することで、文書を作成することができます。

文書の編集

作成した文書は修正/削除したり、コピー/移動などを行ったりして、編集することができます。

文書のデザイン

文字の色を変える、フリガナ、下線や取り消し線を付けるなど装飾を加えて、文書をデザインすることもできます。

ワードの画面

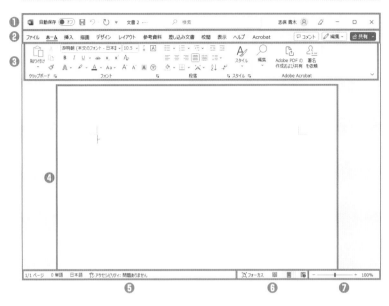

❶「クイックアクセスツールバー」です。初期設定では、「上書き保存」のアイコンが表示されています。

❷「タブ」が表示されています。「ファイル」「ホーム」など、それぞれのタブをクリックすることで、対応する「リボン」がその下に表示されます。

❸「リボン」が表示されています。リボンに表示された項目を選択すると、対応する機能が実行されます。リボンは機能の種類ごとに「グループ」に分けられています。

❹ 編集画面です。文字を入力する、画像を挿入するなど、文章を作成する領域になります。

❺「ステータスバー」です。ページ数や文字数、言語など、文書の作成状態を確認できます。

❻ 表示選択ショートカットが表示されています。ショートカットを選択すると、「閲覧モード」、「印刷レイアウト」など、文書の表示モードを切り替えることができます。

❼ 作成中の文書の表示を拡大/縮小することができます。

Section

03 ファイルを新規に作成する

表や文書を作成するには、ファイルを新規作成する必要があります。ホーム画面を表示し、[空白のブック]または[白紙の文書]をクリックしましょう。ブックの表示中は、[ファイル]をクリックしてホーム画面を表示し、[新規]をクリックします。本章ではエクセルの画面をメインに解説をしていますが、ワードでも同様の操作を行うことができます。

ファイルを新規に作成する

パソコンを起動してデスクトップ画面を表示します。デスクトップ画面の下側にある「■」をクリックします。

1 「■」をクリック

パソコンにインストールされているアプリケーションから探します。**すべてのアプリ**をクリックします。

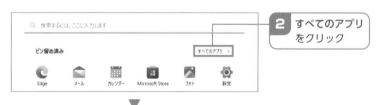

2 すべてのアプリ
をクリック

アプリケーションの一覧からExcelまたはWordをクリックします。

3 ExcelまたはWordをクリック

エクセルまたはワードが起動して、ホーム画面が表示されます。エクセルの場合は**空白のブック**をクリックします。ワードの場合は**白紙の文書**をクリックします。

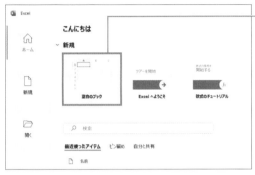

4 空白のブックまたは白紙の文書をクリック

▼

新規に白紙の表計算画面または文書作成画面が表示されます。

新規にファイルが作成されました。

Hint

テンプレートから作成する

ホーム画面で**新規❶**をクリックすると、テンプレートが一覧表示されます。カレンダーや履歴書、レポートなど、種類もさまざまです。**オンラインテンプレートの検索❷**をクリックしてキーワードを入力すると、テンプレートを検索することもできます。

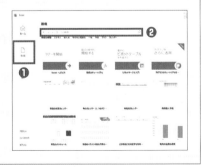

Section

04 作成したファイルを保存する

ファイルを作成したら保存しましょう。保存しないままエクセルやワードを終了してしまうと、編集した内容が消去されます。パソコンの電源が落ちたなどのトラブルにも備えて、編集中にも保存を行うことをおすすめします。

::: ファイルに名前を付けて保存する

ファイルをクリックします。

1 ファイル を
クリック

名前を付けて保存をクリックしてメニューを表示し、保存先を指定するために参照をクリックします。

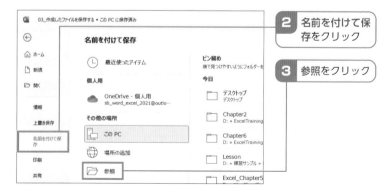

2 名前を付けて保
存をクリック

3 参照をクリック

ここでは「ドキュメント」フォルダーに保存します。**ドキュメント**をクリックしてフォルダーを指定し、**ファイル名**を入力します。

4 ドキュメントを
クリック

5 ファイル名を
入力

保存をクリックすると、指定したフォルダーにファイルが保存されます。

6 保存をクリック

Hint
上書き保存する

一度保存した文書を編集した場合
は、上書き保存で変更を保存でき
ます。ホーム画面で上書き保存を
クリックするか、画面上のクイッ
クアクセスツールバーに表示され
ている「🖫」をクリックすると、
ファイルを上書き保存できます。

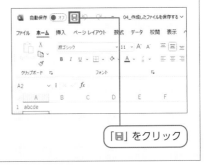

「🖫」をクリック

練習用ファイル 05_ファイルに名前を付けて複製する.xlsx

ファイルに名前を付けて複製する

一度保存したファイルを編集していて、上書き保存ではなく「別のファイルとして保存したい」ときがあります。そういったときは、名前を付けて複製しましょう。さまざまなバージョンの表や文書を別のファイルとして保存できます。

ファイルに名前を付けて複製する

ファイルをクリックします。

1 ファイルをクリック

名前を付けて保存をクリックしてメニューを表示し、参照をクリックします。

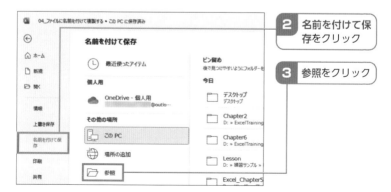

2 名前を付けて保存をクリック

3 参照をクリック

24

保存先のフォルダーをクリックして指定し、元の名前とは別の**ファイル名**を入力します。複製だとわかるファイル名を入力すると、ファイルの管理がしやすくなります。

保存をクリックすると、指定したフォルダーにファイルが保存されます。

エクスプローラーなどで保存先のフォルダーを表示すると、ファイル名を確認できます。ファイルをクリックして選択した状態で再度クリックすると、ファイル名を変更することができます。

フォルダーから、ファイル名を確認できます。

Section

06 文字の入力と編集

ひらがなや漢字、カタカナなどの日本語、アルファベット、数字、記号といった文字を入力して、表などを作成していきましょう。入力した文字は削除したり、再度入力したりと、後から編集することも可能です。

文字を入力する

ここではローマ字入力で日本語を入力する方法について説明します。日本語で入力する場合は「あ」(ひらがなモード) が画面右下に表示されていることを確認します。入力方法の切り替えについては28ページを参照してください。

1 「あ」が表示されていることを確認

表計算画面上で選択されているセルに文字が入力されます。ワードの場合は文書入力画面上でカーソルがある位置に文字が入力されます。ここでは、「ごうけい」(GOUKEI) と入力します。

2 「ごうけい」(GOUKEI) と入力

キーボードの変換を押して漢字に変換し、Enterを押します。

	A	B	C	D	E	F
1						
2		合計				
3						
4						

3 変換を押して漢字にする

4 Enterを押す

文字を編集する

エクセルでは修正するセルをクリックして選択します。ワードの場合は修正する文字をドラッグして選択します。

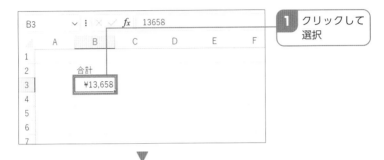

1 クリックして選択

セルが選択された状態（ワードの場合は文字が選択された状態）になったら、修正後の文字や数値を入力します。

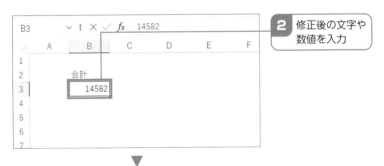

2 修正後の文字や数値を入力

Enter を押して編集を確定します。

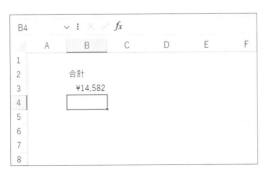

3 Enter を押す

07 入力モードの切り替え方

文字を入力する際は、入力したい内容によって、「ひらがな」「全角カタカナ」「全角英数字」「半角カタカナ」「半角英数字」といった入力モードの切り替えを活用しましょう。

⠿ 入力モードを切り替える

画面右下のWindowsのタスクバーで、現在選択されている入力モードの確認、モードの切り替えを行います。切り替える場合は、入力モードのアイコン（ここでは「あ」（ひらがなモード））をクリックします。

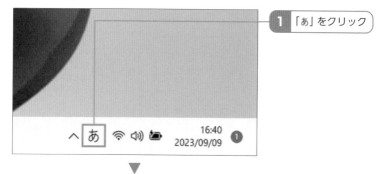

1 「あ」をクリック

入力モードが、ここでは「A」（半角英数字モード）に切り替わります。なお、キーボードの［半角/全角］を押すことでも入力モードを切り替えることができます。

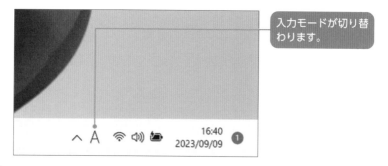

入力モードが切り替わります。

28

::: 入力モードを選択する

他の入力モードを利用する場合は、入力モードのアイコン（ここでは「あ」）
を右クリックします。

1 「あ」を右クリック

メニューが表示されたら、任意の入力モードをクリックして選択します。

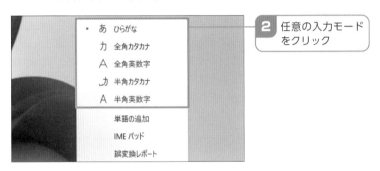

2 任意の入力モード
　をクリック

Hint 🔍 入力モードとは

入力モードとは、ひらがなや全角/半角カタカナ、全角/半角英数字を切り替える
ことができる機能です。入力モードの変更によって、同じキーを押した場合でも、
入力される文字が変化します。

表示アイコン	入力モード	入力される文字	入力例
あ	ひらがな	ひらがな、漢字	どうぶつ、動物
カ	全角カタカナ	全角カタカナ	ライオン
A	全角英数字	全角アルファベット、数字、記号	Ａｎｉｍａｌ、１２３、！
ｶ	半角カタカナ	半角カタカナ	ﾗｲｵﾝ
A	半角英数字	半角アルファベット、数字、記号	Animal、123、！

Section 08

リボンからメニューを選択する

練習用ファイル 08_リボンからメニューを選択する.xlsx

任意のタブをクリックすると、画面上部にそれぞれの「リボン」が表示されます。リボンにはさまざまなコマンドが用意されており、クリックするだけで表などの編集や装飾ができるようになっています。

リボンとは

リボンとは、タブをクリックしたときに表示されるツールバーのことです。文字入力に関するリボンを表示したいときは「ホーム」、テーブルや画像、グラフの挿入に関するリボンを表示したいときは「挿入」といったように、対応するタブをクリックして利用したいリボンを表示させましょう。リボンに表示されている項目をクリックすることで、対応する機能が実行されます。また、リボンは機能の種類ごとに「グループ」に分けられています。グループ名はリボンの下部分に表示されています。

ホーム

挿入

数式

⠿ リボンからメニューを選択する

ここではリボンを使用して文字のサイズを変更する方法を紹介します。文字入力に関するタブである**ホーム**をクリックします。

ホームのリボンが表示されたら、**フォント**グループの「A˙」をクリックします。

「A˙」をクリックした分、文字サイズが大きくなります。

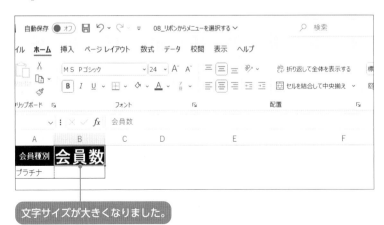

文字サイズが大きくなりました。

便利な右クリックメニュー

表や文書の作成中に画面上で右クリックをするとメニューが表示されます。文字の設定や切り取り、コピーなどを一覧表示でき、リボンを操作する手順が省けるため、作業の効率化が可能になります。

右クリックメニューを表示する

編集したいセル（ワードでは編集したい位置）にマウスカーソルを合わせ、右クリックします。

1 編集したいセルにマウスカーソルを合わせ、右クリック

右クリックメニューが表示されます。任意の項目をクリックすることで、対応する機能が実行されます。

2 任意の項目をクリックして選択

∷ 右クリックメニューでできること

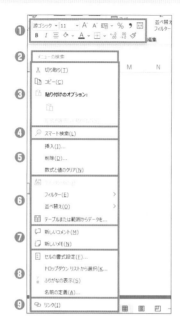

❶セルのフォントやサイズ、太字などの装飾、行の間隔や中央揃えといった段落の設定を行えます。

❷右クリックメニュー内の機能を検索できます。

❸文字を選択中の場合、切り取りやコピーが行えます。「貼り付けのオプション」の任意のアイコンをクリックすると、コピーしている内容を任意の形で貼り付けることができます。

❹検索ウィンドウが開き、その文字の定義や類義語などを調べることができます。

❺セルを挿入したり、削除したり、セルに入力された内容を削除したりすることができます。

❻表にフィルターをかけたり、並べ替えたりすることができます。

❼セルにコメントやメモを注釈として挿入できます。

❽セルの書式設定や、ドロップダウンの作成、フリガナの表示などを行うことができます。

❾セルにURLなどのリンクを貼り付けることができます。

※ワードでは一部のメニュー項目が異なります。

10 繰り返しとやり直し

表や文書の作成中は、キーボードの F4 を押すだけで直前に行った操作を繰り返し実行することができます。同じ文字を入力したい、任意の文字に同じ装飾をしたいといった場合に活躍します。

操作を繰り返す

最初に繰り返したい操作を行います。ここでは、セルの色の設定を繰り返します。セルの色の設定方法については74ページを参照してください。

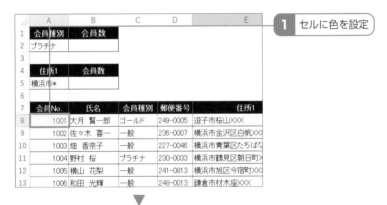

1 セルに色を設定

操作を繰り返したいセルをクリックして選択します。

2 セルをクリックして選択

キーボードの F4 を押すと、選択したセルに操作が繰り返されます。

3 F4 を押す

同様に、操作を繰り返したい他のセルをクリックして選択し、F4 を押します。

4 セルをクリックして選択

5 F4 を押す

Hint

F4 を押しても反応しない場合

F4 を押しても繰り返すことができない場合は、Fn（ファンクションキー）も同時に押す必要があります。ノートパソコンの場合はこの Fn が必要なことが多いので注意しましょう。

⋮⋮⋮ 操作を元に戻す

誤字を入力してしまった、誤った装飾をしてしまったといった場面では「元に戻す」が便利です。クイックアクセスツールバーに表示されている「♡」をクリックします。

1 「♡」をクリック

直前に行った操作（ここでは、セルの色の設定）が取り消され、元に戻ります。

セルの色の設定が取り消されました。

なお、「♡」の「∨」をクリックすると、直前に行った操作を最大20個さかのぼることができます。任意の操作をクリックすると、その操作まで元に戻ります。

2 「♡」の「∨」をクリック

3 任意の操作をクリック

⠿ 操作をやり直す

操作を元に戻すと、クイックアクセスツールバーに「⟳」(やり直す) が表示
されます。「⟳」をクリックします。

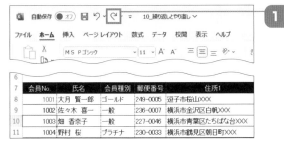

1 「⟳」をクリック

6				
7	会員No.	氏名	会員種別	郵便番号	住所1
8	1001	大月 賢一郎	ゴールド	249-0005	逗子市桜山×××
9	1002	佐々木 喜一	一般	236-0007	横浜市金沢区白帆×××
10	1003	畑 香奈子	一般	227-0046	横浜市青葉区たちばな台×××
11	1004	野村 桜	プラチナ	230-0033	横浜市鶴見区朝日町×××

元に戻す前の状態に戻ります。「⟳」をクリックした分、繰り返してやり直
すことができます。

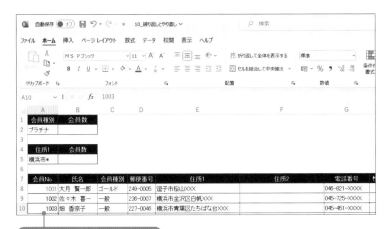

元に戻す前の状態に戻ります。

Section

11

練習用ファイル 11_文字のコピーと貼り付け.xlsx

文字のコピーと貼り付け

同じ文字や数値をさまざまな箇所で繰り返し使いたい場合は、「コピー」と「貼り付け」を活用しましょう。一度コピーした文字は、再度コピーしない限り、何度でも繰り返して貼り付けることができます。

::: 文字をコピーする

コピーするセル (ここでは B8) をクリックして選択します。ワードの場合はコピーする文字をドラッグして選択します。

> **1** コピーするセルをクリックして選択

セルが選択された状態になります。

> セルが選択されます。

ホームタブの**クリップボード**グループの「🗋」(コピー) をクリックすると、選択した文字をコピーした状態になります。

> **2** 「🗋」をクリック

文字を貼り付ける

文字をコピーした状態で、文字を貼り付けるセルをクリックして選択しておきます。ワードの場合は貼り付ける位置にカーソルを置きます。

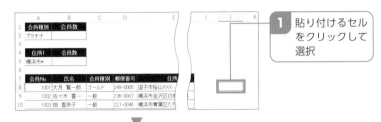

> 1 貼り付けるセルをクリックして選択

ホームタブの**クリップボード**グループの**貼り付け**をクリックします。

> 2 貼り付けをクリック

貼り付けのオプションが表示されます。ここでは、「 」(元の書式を保持)をクリックすると、コピーされた文字が貼り付けられます。

> 3 「 」をクリック

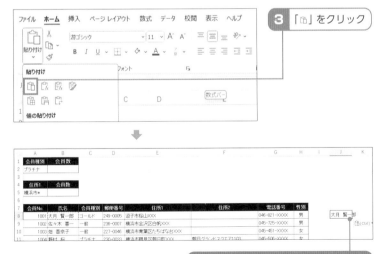

コピーされた文字が貼り付けられます。

Section 12
画面を拡大/縮小して表示する

文字や数値が見えにくいときや、表や文書の全体を確認したいときなどは、画面を拡大/縮小して見え方の調整を行いましょう。表示倍率は10パーセントから500パーセントまで設定できます。

画面を拡大する

表示を拡大したい場合は、画面の右下の「+」をクリックします。

1 「+」をクリック

画面が10パーセント拡大されます。クリックする回数が多いほど、画面の拡大率が上がります。

画面が10パーセント拡大されます。

「━」を右方向にドラッグすることでも、画面を拡大できます。

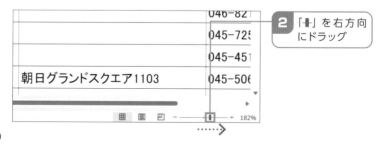

2 「━」を右方向にドラッグ

40

⠿ 画面を縮小する

表示を縮小したい場合は、画面の右下の「－」をクリックします。

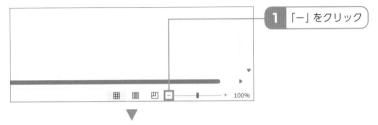

1 「－」をクリック

画面が10パーセント縮小されます。クリックする回数が多いほど、画面の縮小率が上がります。

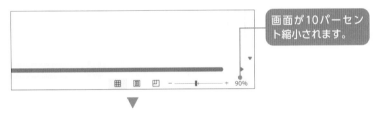

画面が10パーセント縮小されます。

「╋」を左方向にドラッグすることでも、画面を縮小できます。

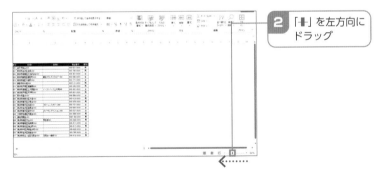

2 「╋」を左方向にドラッグ

Hint

マウスで画面を拡大/縮小する

画面はマウスで拡大/縮小が行えます。キーボードの Ctrl を押しながらマウスのホイールを上に回すと拡大され、Ctrl を押しながらマウスのホイールを下に回すと縮小されます。

Section

13 ファイルを印刷する

表や文書の作成を終えたら、プリンターを使ってファイルを紙に印刷しましょう。印刷する際には、印刷の向きや紙のサイズ、印刷範囲といった設定の確認や変更を行えます。

印刷の向きを設定する

ファイルをクリックします。

> 1 ファイルを
> クリック

印刷をクリックします。

> 2 印刷をクリック

印刷メニューが表示されます。印刷の向きを変更する場合は、**縦方向** (または**横方向**) をクリックし、任意の印刷の向きをクリックして選択します。

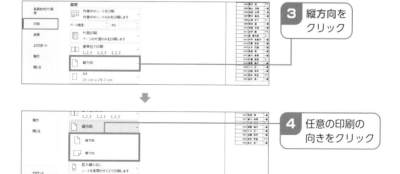

> 3 縦方向を
> クリック

> 4 任意の印刷の
> 向きをクリック

::: 印刷のサイズを設定する

印刷メニューを表示し、印刷サイズ（ここでは**A4**）をクリックします。

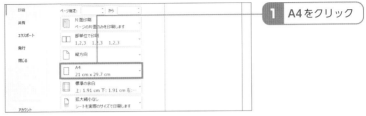

1 A4をクリック

印刷のサイズの一覧が表示されます。任意のサイズをクリックすることで、印刷サイズを変更できます。詳細に設定したい場合は、**その他の用紙サイズ**をクリックします。

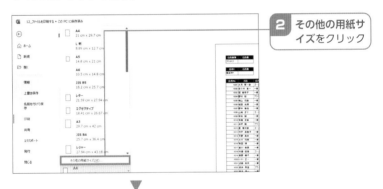

2 その他の用紙サイズをクリック

ページ設定画面が表示され、印刷サイズの詳細設定を行えます。

印刷サイズの詳細な設定が行えます。

印刷の余白を設定する

印刷メニューを表示し、余白（ここでは**標準の余白**）をクリックします。

1 標準の余白を
クリック

余白の一覧が表示されます。任意の余白をクリックすることで変更できます。詳細に設定したい場合は、**ユーザー設定の余白**をクリックします。

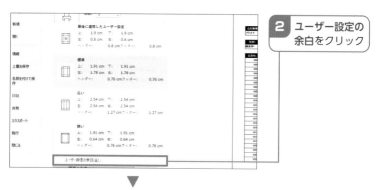

2 ユーザー設定の
余白をクリック

ページ設定画面が表示され、余白の詳細設定を行えます。

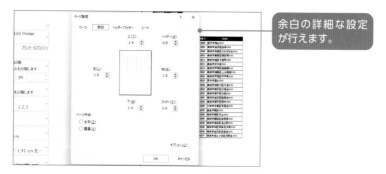

余白の詳細な設定
が行えます。

::: 印刷範囲を設定する

印刷メニューを表示し、印刷範囲（ここでは**作業中のシートを印刷**）をクリックします。

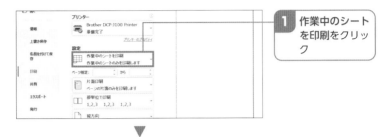

作業中のシートを印刷をクリック

▼

印刷範囲の一覧が表示されます。任意の印刷範囲をクリックすることで変更できます。

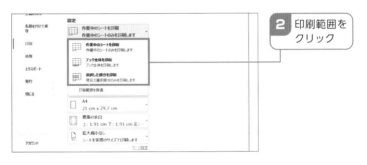

2 印刷範囲をクリック

Hint 印刷したいページ数を入力して設定する

ページ指定（ワードの場合は**ページ**）に印刷したいページ数を入力することでも、印刷範囲を設定できます。

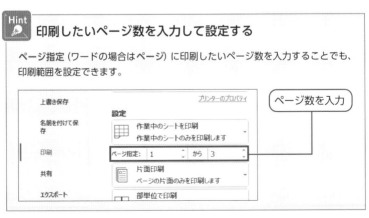

ページ数を入力

45

::: ファイルを印刷する

ファイルをクリックします。

> **1** ファイルを
> クリック

▼

印刷をクリックします。

> **2** 印刷をクリック

▼

印刷メニューが表示されたら、**プリンター** (ここでは Microsoft Print to PDF) をクリックします。

> **3** Microsoft
> Print to PDFを
> クリック

任意のプリンターをクリックして選択します。プリンターを追加したい場合は、**プリンターの追加**をクリックします。

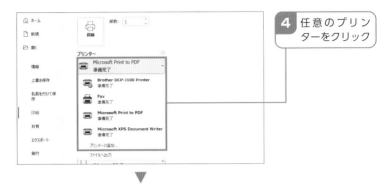

4 任意のプリンターをクリック

印刷部数を変更したい場合は、**部数**に数字を入力します。

5 印刷したい部数を入力

設定が完了したら、**印刷**をクリックします。プリンターが起動して印刷が開始されます。

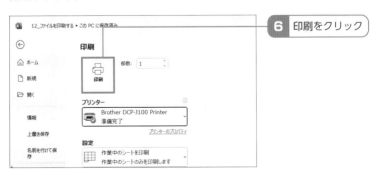

6 印刷をクリック

Section

14 PDFとして出力する

エクセルで作成した表やグラフ、ワードで作成した文書は「PDF」として
保存することも可能です。PDFはファイルを保存する形式の1つで、パソ
コンやスマートフォンなど、環境が違っても同じように表示できるという
メリットがあります。

PDFとして出力する

ファイルをクリックします。

1 ファイルを
クリック

エクスポートをクリックします。

2 エクスポートを
クリック

PDF/XPSドキュメントの作成をクリックします。

3 PDF/XPSドキュ
メントの作成を
クリック

PDF/XPSの作成をクリックします。

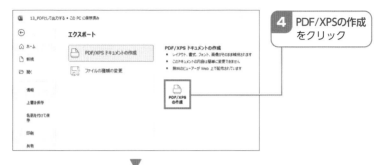

ここでは「ドキュメント」フォルダーに保存します。**ドキュメント**をクリックしてフォルダーを指定し、**ファイル名**を入力します。

発行をクリックすると、指定した「ドキュメント」フォルダーに PDF ファイルが保存されます。

ヘルプで調べる

表や文書を作成しているときにわからないことがあったら、ヘルプ機能で質問してみましょう。ヘルプでは基本機能の解説や新機能の紹介などを確認することができます。

▦ ヘルプとは

「どのようにグラフの作成を開始すればいいかわからない」「セルの挿入方法がわからない」といった、エクセルやワードの操作に関する疑問が生まれたときはヘルプを活用してみましょう。ヘルプで検索することで、操作の手順を動画や文章、画像で確認することができます。また、ヘルプを利用する場合は、使用しているパソコンがインターネットに接続されている必要があります。

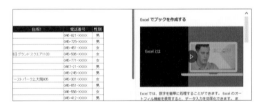

ヘルプに検索したい内容を入力することで、動画や文章、画像で操作手順を確認できます。

エクセルの関数についてや、ワードに追加された新機能の内容も動画や文章で確認できます。

よく検索される内容が「おすすめのヘルプ」（ワードの場合は「トップタスク」）として表示されています。

::: ヘルプで調べる

ヘルプをクリックします。

1 ヘルプを
クリック

ヘルプグループのヘルプをクリックします。

2 ヘルプを
クリック

ヘルプメニューが表示されたら、検索欄に検索したい内容を入力し、
Enter を押します。

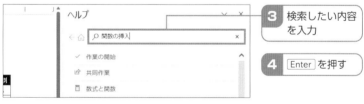

3 検索したい内容
を入力

4 Enter を押す

検索結果が表示されます。任意の結果をクリックすると、操作の手順など
を確認できます。

5 任意の結果を
クリック

Section

16

オプション画面を利用する

文字や数値を入力する際のルールや画面の表示形式、印刷の基本設定など、エクセルやワードの基本機能全般に関わる設定はオプション画面から確認や変更が行えます。

::: オプション画面とは

「Microsoft Officeのユーザー設定を変更したい」「表計算画面の数式の処理方法を変更したい」「ファイルの標準保存形式を変えたい」といったエクセルやワードの基本機能に関わる設定は、オプション画面から変更しましょう。リボンの項目の表示/非表示の切り替えもできるため、自分好みにエクセルやワードをカスタマイズしたいときにおすすめです。また、各項目にマウスカーソルを合わせると、項目の説明が表示されるので、項目名だけでは設定内容がわからない場合は確認しましょう。

::: オプション画面を利用する

ここでは、エクセルを起動した際に、ホーム画面ではなく白紙の表計算画面が表示されるように設定を変更します。**ファイル**をクリックします。

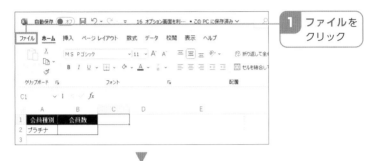

1 ファイルを
クリック

その他をクリックします。

2 その他を
クリック

オプションをクリックします。

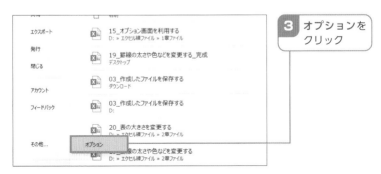

3 オプションを
クリック

設定したい項目をクリックしてオンとオフを切り替えたり、文字や数字を入力したりすることで、設定を変更できます。ここでは、**このアプリケーションの起動時にスタート画面を表示する**の「☑」をクリックします。

4 「☑」をクリック

このアプリケーションの起動時にスタート画面を表示するがオフになります。OKをクリックすると、変更した設定が保存されます。なお、ワードで同様の設定をしたい場合も手順は同じです。

オフになります。　5 OKをクリック

第 2 章

表の作成

Section

17

シートを追加する

エクセルのブックでは、シートを追加することで複数の表を1つのファイルで作成/管理することが可能です。シートには名前を付けることができ、シート名が表示されたタブをクリックして切り替えます。

シートを追加する

表計算画面を表示します。

画面下部の「+」をクリックします。

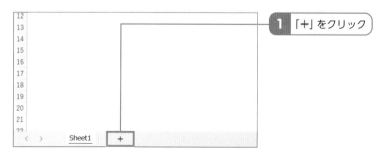

1 「+」をクリック

56

シートが追加されます。

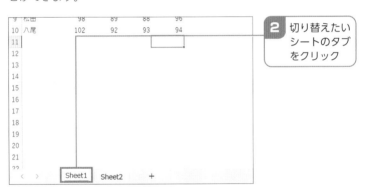

切り替えたいシートのタブをクリックすることで、シートを切り替えることができます。

2 切り替えたい
シートのタブ
をクリック

Hint

シートに名前を付ける

シートのタブを右クリックして、
名前の変更をクリックすると、
シートの名前を変更することがで
きます。

挿入(I)...
削除(D)
名前の変更(R)
移動またはコピー(M)...
コードの表示(V)
シートの保護(P)...

名前の変更をクリック

練習用ファイル 18_表の範囲のセルを選択する.xlsx

表の範囲のセルを選択する

エクセルの表の作成や編集を行う場合は、まずセルを選択することから始めましょう。セルはマウスのクリックやドラッグ操作の他、キーボード操作でも選択可能です。

▒ ドラッグで選択する

選択するセル（ここでは**A4**）をクリックすると、セルが選択されます。

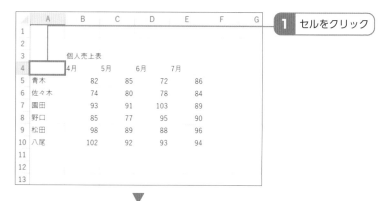

1 セルをクリック

▼

セルが選択された状態でドラッグすると、複数のセルを同時に選択することができます。

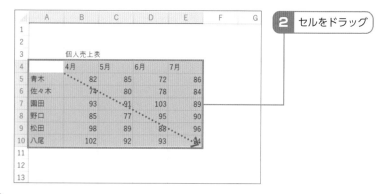

2 セルをドラッグ

⠿ キーボードで選択する

選択するセル（ここでは**B4**）をクリックすると、セルが選択されます。

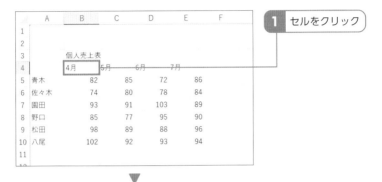

1 セルをクリック

キーボードの Shift を押しながら十字キーを押すと、その方向に向かって複数のセルの選択を行うことができます。十字キーを何度も押すと、その分だけのセルを選択できます。

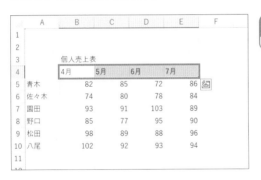

2 Shift を押しながら → を押す

Hint

離れたセルを同時に選択する

セル❶をクリックして選択した状態で、キーボードの Ctrl を押しながら離れたセル❷をクリックすると、離れたセルどうしを同時に選択することができます。

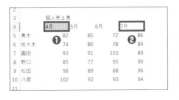

Section

19 表の周囲を罫線で囲む

表を作成する場合、セルの周りを罫線で囲むと見栄えよくすることができます。ここでは、表内のセルを格子状の罫線で囲む方法を解説します。

罫線で囲む

罫線で囲むセルをクリックして選択します。複数のセルに設定したい場合はドラッグで選択します。

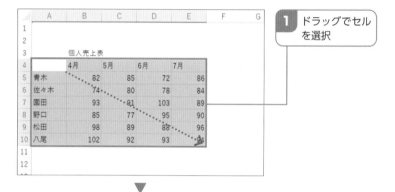

> **1** ドラッグでセルを選択

▼

ホームタブの**フォント**グループの「田」の「∨」をクリックします。

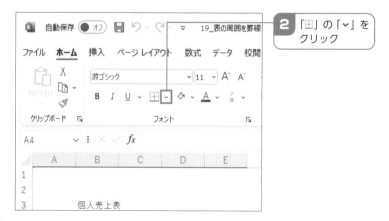

> **2** 「田」の「∨」をクリック

囲みたい罫線 (ここでは**格子**) をクリックします。

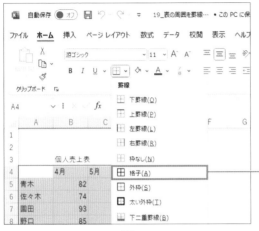

3 格子をクリック

セルが罫線で囲まれます。

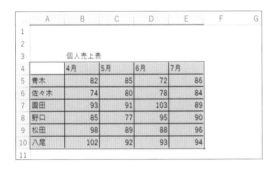

2 表の作成

Hint

続けて罫線で囲む場合

罫線のアイコンは、最後に選択した罫線に合わせて変化します。次回はそこをクリックすれば、同じ罫線で囲むことができます。

罫線の太さや色などを変更する

設定した罫線は、太さや色、線のスタイルを変更することができます。表の外側の線を太くなどすれば、見やすい表になります。また、無駄な罫線を削除する方法も解説します。

罫線の太さを変える

太さを変えたい罫線が設定されているセルをクリックして選択し、**ホーム**タブの**フォント**グループの「田」の「∨」をクリックします。

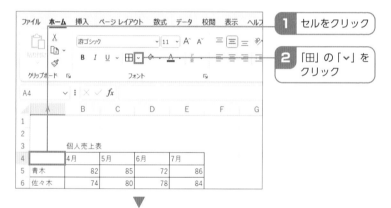

1 セルをクリック

2 「田」の「∨」をクリック

太い外枠をクリックすると、罫線が太くなります。

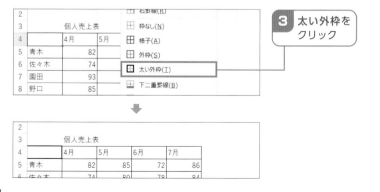

3 太い外枠をクリック

罫線の色を変える

ホームタブの**フォント**グループの「田」の「∨」をクリックします。

> **1** 「田」の「∨」を
> クリック

線の色をクリックします。

> **2** 線の色を
> クリック

設定したい色をクリックします。変更後にキーボードの Esc を押すと、色の
変更モードが終了します。

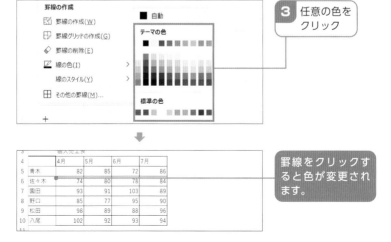

> **3** 任意の色を
> クリック

> 罫線をクリックす
> ると色が変更され
> ます。

罫線のスタイルを変える

ホームタブの**フォント**グループの「田」の「∨」をクリックします。

1 「田」の「∨」を
クリック

線のスタイルをクリックします。

2 線のスタイルを
クリック

設定したいスタイルをクリックし、罫線をクリックすると罫線のスタイル
が変更されます。変更後にキーボードの Esc を押すと、スタイルの変更
モードが終了します。

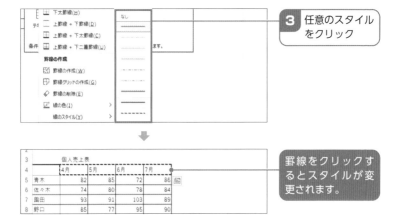

3 任意のスタイル
をクリック

罫線をクリックす
るとスタイルが変
更されます。

⠿ 罫線を削除する

ホームタブの**フォント**グループの「田」の「∨」をクリックします。

1 「田」の「∨」を
クリック

罫線の削除をクリックし、罫線をクリックすると罫線が削除されます。削除後にキーボードの Esc を押すと、削除モードが終了します。

2 罫線の削除を
クリック

罫線をクリックすると削除されます。

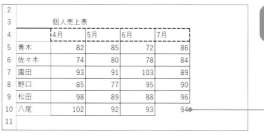

Hint

設定した色やスタイルは次回に引き継がれる

罫線に設定した色やスタイルは、次回罫線を作る際にその設定が引き継がれているので、そのまま利用することができます。設定を変更したい場合は、62〜64ページを参考に再度設定しましょう。

Section

21

表の大きさを変更する

文字数などの関係で、表の幅が足りない、あるいは隙間が空いていると
いった場合、行や列の幅を変更して調節しましょう。調節方法には、ド
ラッグ操作かダブルクリックでの操作があります。

表の横幅を変更する

表の幅を変更したい列のあるアルファベットの間にマウスカーソルを移動
します。

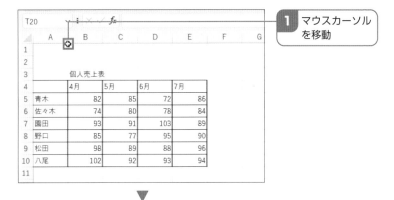

1 マウスカーソル
を移動

マウスカーソルが「✛」に変更されます。

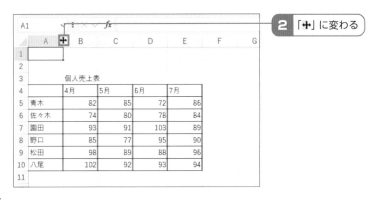

2 「✛」に変わる

「╋」の状態で左右にドラッグし、幅を調節します。

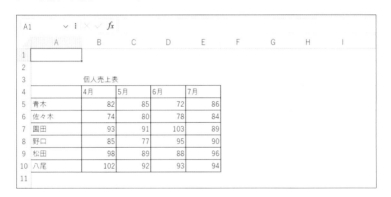

3 左右にドラッグ

▼

表の横幅が変更されます。

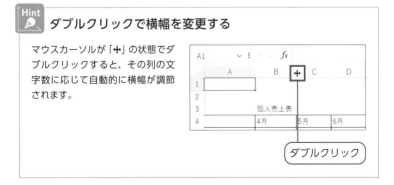

Hint 💡 ダブルクリックで横幅を変更する

マウスカーソルが「╋」の状態でダ
ブルクリックすると、その列の文
字数に応じて自動的に横幅が調節
されます。

ダブルクリック

表の縦幅を変更する

表の幅を変更したい行のある数字の間にマウスカーソルを移動します。

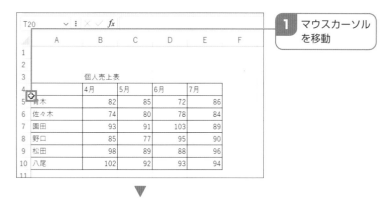

マウスカーソルが「╈」に変更されます。

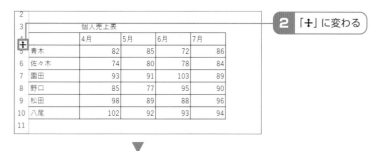

「╈」の状態で上下にドラッグし、幅を調節します。

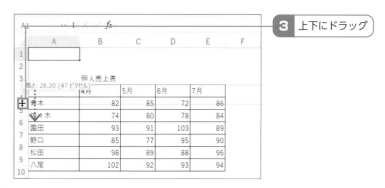

表の縦幅が変更されます。

A1	∨ ⋮ × ✓ fx							
	A	B	C	D	E	F	G	H	I
1								
2								
3		個人売上表						
4		4月	5月	6月	7月			
5	青木	82	85	72	86			
6	佐々木	74	80	78	84			
7	園田	93	91	103	89			
8	野口	85	77	95	90			
9	松田	98	89	88	96			
10	八尾	102	92	93	94			
11								
12								
13								

Hint 数値で幅を設定する

行のアルファベットや列の数字を右クリックして、列の幅や行の高さをクリックすることで、数値を指定して横幅や縦幅を設定できます。

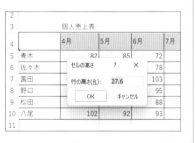

Hint セルの文字や数字が「##」で表示される

セルの文字や数字が「##」で表示されるのは、そのセル幅以上の文字数を入力しているためです。セルの幅を変更して、正しく表示されるように調節しましょう。

Section 22

行や列を追加/削除する

表の途中に行や列を追加したい場合があります。その場合は、いちいち表を作り直さなくても、簡単に行や列を追加することができます。また、不要になった行や列を削除することもできます。

行を追加する

行を追加したい位置で、行の数字を右クリックします。

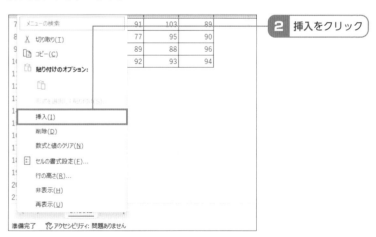

1 右クリック

2 挿入をクリック

挿入をクリックします。

行が追加されます。

2						
3		個人売上表				
4		4月	5月	6月	7月	
5	青木	82	85	72	86	
6						
7	佐々木	74	80	78	84	
8	園田	93	91	103	89	
9	野口	85	77	95	90	

行を削除する

削除する行の数字を右クリックします。

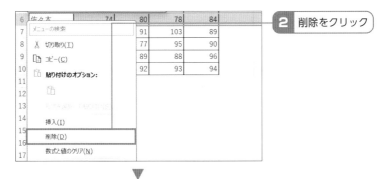

2						
3		個人売上表				
4		4月	5月	6月	7月	
5	青木	82	85	72	86	
6	佐々木	74	80	78	84	
7	園田	93	91	103	89	
8	野口	85	77	95	90	

1 右クリック

▼

削除をクリックします。

6	佐々木	74	80	78	84
7	メニューの検索		91	103	89
8	✂ 切り取り(T)		77	95	90
9	📋 コピー(C)		89	88	96
10	📋 貼り付けのオプション:		92	93	94
11					
12	📋				
13					
14	挿入(I)				
15	削除(D)				
16					
17	数式と値のクリア(N)				

2 削除をクリック

▼

行が削除されます。

4		4月	5月	6月	7月	
5	青木	82	85	72	86	
6	園田	93	91	103	89	
7	野口	85	77	95	90	

列を追加する

列を追加したい位置で、列のアルファベットを右クリックします。

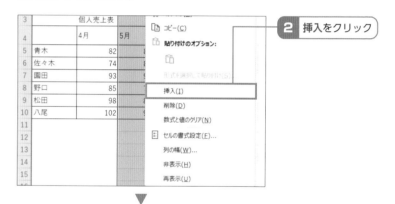

挿入をクリックします。

列が追加されます。

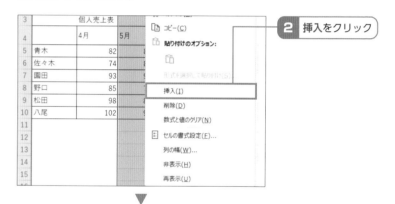

::: 列を削除する

削除する列のアルファベットを右クリックします。

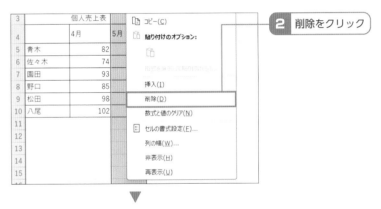

	A	B	C	D	E	F
1						
2						
3		個人売上表				
4		4月	5月	6月	7月	
5	青木	82	85	72	86	
6	佐々木	74	80	78	84	
7	園田	93	91	103	89	

1 右クリック

▼

削除をクリックします。

3		個人売上表			コピー(C)
4		4月	5月		貼り付けのオプション:
5	青木	82			
6	佐々木	74			
7	園田	93			
8	野口	85			挿入(I)
9	松田	98			削除(D)
10	八尾	102			数式と値のクリア(N)
11					セルの書式設定(F)...
12					
13					列の幅(W)...
14					非表示(H)
15					再表示(U)

2 削除をクリック

▼

列が削除されます。

	A	B	C	D	E	F	G	H	I
1									
2									
3		個人売上表							
4		4月	6月	7月					
5	青木	82	72	86					
6	佐々木	74	78	84					
7	園田	93	103	89					
8	野口	85	95	90					
9	松田	98	88	96					
10	八尾	102	93	94					
11									
12									

2

表
の
作
成

73

23 表に色を付ける

売上の合計などのように強調したいセルがある場合、セルに色を付けると
いちばん大事な部分をわかりやすく表示させることができます。設定する
と、色でセル全体が塗りつぶされます。

表に色を付ける

色を付けるセルをクリックして選択します。

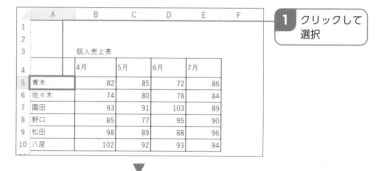

1 クリックして選択

▼

ホームタブの**フォント**グループの「◇」の「∨」をクリックします。

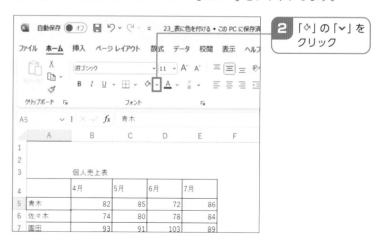

2 「◇」の「∨」をクリック

設定したい色をクリックします。

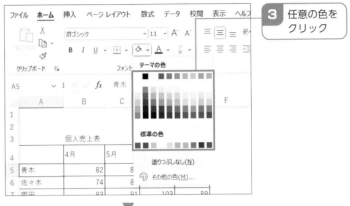

3 任意の色を
クリック

セルに色が付きます。

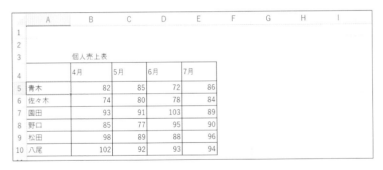

	A	B	C	D	E	F	G	H	I
1									
2									
3		個人売上表							
4		4月	5月	6月	7月				
5	青木	82	85	72	86				
6	佐々木	74	80	78	84				
7	園田	93	91	103	89				
8	野口	85	77	95	90				
9	松田	98	89	88	96				
10	八尾	102	92	93	94				

Hint 表の色を元に戻す

色を付けたセルを元に戻したい場
合は、元に戻すセルを選択してか
ら、ホームタブのフォントグルー
プの「◇」の「∨」をクリックして、
塗りつぶしなしをクリックします。

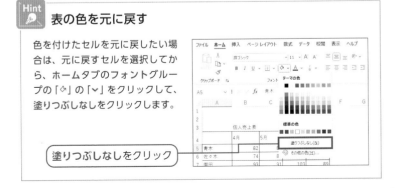

塗りつぶしなしをクリック

隣り合ったセルを結合する

表を作成していくうちに、表の見出しや合計など、セルを結合して1つにした方が見栄えがよくなる場合があります。隣り合った複数のセルは自由に結合することができます。

⠿ セルを結合する

結合したい隣り合ったセルをドラッグして同時に選択します。

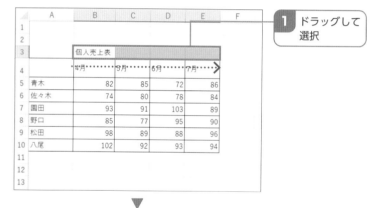

> **1** ドラッグして選択

ホームタブの**配置**グループの**セルを結合して中央揃え**をクリックします。

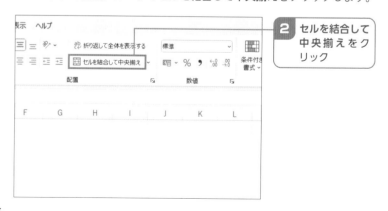

> **2** セルを結合して中央揃えをクリック

セルが結合され、文字や数字が中央揃えになります。

	4月	5月	6月	7月
		個人売上表		
青木	82	85	72	86
佐々木	74	80	78	84
園田	93	91	103	89
野口	85	77	95	90
松田	98	89	88	96
八尾	102	92	93	94

Hint 中央揃えにしたくない場合

セルを結合した際に、中の文字を中央揃えにしたくない場合があります。そのような場合は、ホームタブの配置グループのセルを結合して中央揃えの「∨」をクリックし、セルの結合をクリックします。そうすれば、中央揃えされずにセルが結合されます。

セルの結合をクリック

結合を解除する

結合されているセルをクリックして選択します。

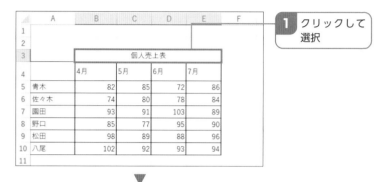

1 クリックして選択

ホームタブの配置グループのセルを結合して中央揃えの「∨」をクリックします。

2 セルを結合して中央揃えの「∨」をクリック

セル結合の解除をクリックします。

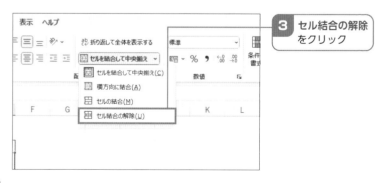

3 セル結合の解除をクリック

第 **3** 章

文字の設定

Section 25

データの形式を変更する

通常、エクセルのセルに数値を入力した場合、そのままの状態で表示されます。この表示を日付や通貨（金額）、時刻、パーセンテージなどの形式に自動で変更する機能があります。

日付を設定する

セルをクリックして選択します。**ホーム**タブの**数値**グループの**標準**の「∨」をクリックしてメニューを表示し、**短い日付形式**または**長い日付形式**をクリックします。

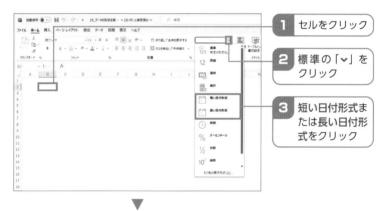

1 セルをクリック

2 標準の「∨」をクリック

3 短い日付形式または長い日付形式をクリック

セルに「2023/12/15」のように入力すると、自動で日付形式に変更されます。

::: 金額を設定する

セルをクリックして選択します。

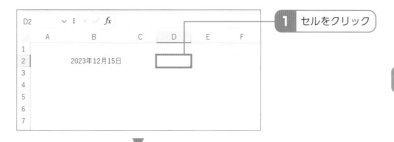

1 セルをクリック

▼

ホームタブの**数値**グループの「囲」をクリックします。

2 「囲」をクリック

▼

セルに「35862」のように入力すると、自動で金額形式に変更されます。

⠿ データの形式を変更する

日付や通貨以外にも、自由にセルのデータの形式を変更する方法を紹介します。セルをクリックして選択します。

1 セルをクリック

ホームタブの**数値**グループの**標準**の「﹀」をクリックします。

2 標準の「﹀」を
クリック

その他の表示形式をクリックします。

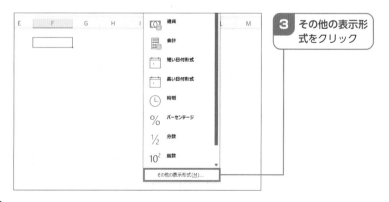

3 その他の表示形
式をクリック

設定したいデータの表示形式を選択します。ここでは、**時刻**をクリックします。

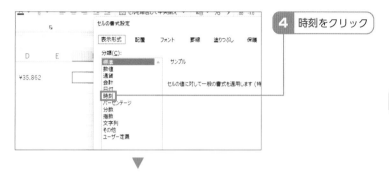

設定したい種類を選択します。ここでは、**1:30 PM**をクリックして、**OK**をクリックします。

セルに「21:30:00」のように入力すると、自動で時刻形式に変更されます。

F2	∨ : × ✓ fx	21:30:00						
	A	B	C	D	E	F	G	H
1								
2		2023年12月15日		¥35,862		9:30 PM		
3								
4								

26 文字の大きさを変更する

セルに入力した文字や数値は、大きさ（フォントサイズ）を変更すること
ができます。表の見出しなどは大きくし、それ以外の数値は小さめに設定
するなど自由に調整して、見やすい表を作成しましょう。

アイコンから文字の大きさを変更する

文字の大きさを変更するセルをクリックして選択します。

> **1** セルをクリック

ホームタブの**フォント**グループの「Aˇ」または「Aˇ」をクリックします。
「Aˇ」をクリックすると文字が大きくなり、「Aˇ」をクリックすると文字が
小さくなります。

> **2** 「Aˇ」または「Aˇ」
> をクリック

▥▥▥ 数値を設定して文字の大きさを変更する

文字の大きさを変更するセルをクリックして選択します。

1 セルをクリック

ホームタブの**フォント**グループのフォントサイズの数字をクリックして、
文字の大きさを数値で入力し、[Enter]を押すと数値に対応した大きさに調
整されます。

2 数値を入力

3 [Enter]を押す

Hint 数値を選択して変更する

ホームタブのフォントグループの
フォントサイズの数字の「∨」をク
リックすると、文字の大きさを変
更できるドロップダウン (プルダウ
ン) が表示されます。ここから数値
を選択してクリックすることでも、
文字の大きさを変更できます。

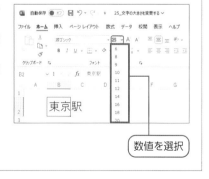

数値を選択

Section

27 文字の種類を変更する

エクセルで使える文字のフォントはデフォルトでは「游ゴシック」に設定されています。明朝やゴシックなど、フォントにはさまざまな種類があり、自由に変更することができます。

文字の種類を変更する

フォントを変更するセルをクリックして選択します。

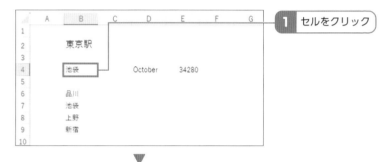

1 セルをクリック

ホームタブの**フォント**グループの**游ゴシック**の「∨」をクリックします。

2 游ゴシックの「∨」をクリック

変更したいフォントを選択してクリックします。

3 任意のフォント
をクリック

セルのフォントが変更されます。

Hint どのフォントを使うのがよい？

さまざまなフォントが収録されて
いるエクセルですが、かなりの量
があるのでどのフォントに設定す
るべきか迷ってしまうことがあり
ます。数値やアルファベットの場
合は、「Arial」などがおすすめで
す。文字の場合は、「游ゴシック」
「游明朝」などがベターでしょう。

28 文字に飾りを付ける

セルの文字や数値は装飾を施すことができます。装飾の種類にはさまざまなものがありますが、ここではベーシックな「太字」「斜体」「下線」「文字色」の設定を紹介します。

文字を太字にする

太字にするセルをクリックして選択します。

1 セルをクリック

ホームタブの**フォント**グループの「**B**」をクリックすると、太字に設定されます。設定を解除したい場合は、再度「**B**」をクリックします。

2 「**B**」をクリック

文字を斜体にする

斜体にするセルをクリックして選択します。

ホームタブのフォントグループの「*I*」をクリックします。

斜体が設定されます。設定を解除したい場合は、再度「*I*」をクリックします。

文字に下線を付ける

下線を付けるセルをクリックして選択します。

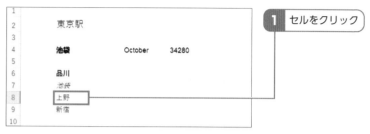

ホームタブのフォントグループの「U」をクリックします。

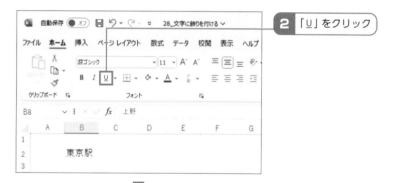

文字に下線が設定されます。設定を解除したい場合は、再度「U」をクリックします。

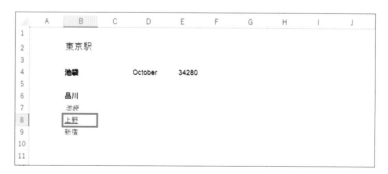

文字の色を変更する

文字に色を付けるセルをクリックして選択します。

1 セルをクリック

ホームタブのフォントグループの「A」の「∨」をクリックします。

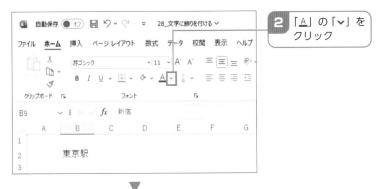

2 「A」の「∨」を
クリック

設定したい色を選択してクリックすると、文字の色が変更されます。

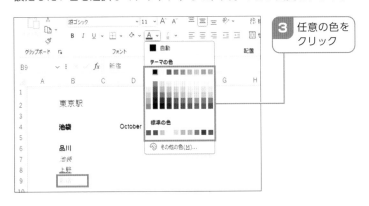

3 任意の色を
クリック

文字を折り返して表示する

セルに入力した文字量が多い場合、セルの幅を調節してすべて表示する方法もありますが、表のレイアウトが崩れてしまう可能性があります。そのような場合は、セル内で折り返して表示するとよいでしょう。

文字を折り返して表示する

文字を折り返して表示するセルをクリックして選択します。

1 セルをクリック

▼

ホームタブの**配置**グループの**折り返して全体を表示する**をクリックします。

2 折り返して全体を表示するをクリック

セル内で文字が折り返して表示されます。

3				
4		最寄り駅	利用社員数	乗り換え
5		池袋	3	2
6	通勤利用駅	高輪ゲー トウェイ	5	4
7		渋谷	8	5
8		新宿	4	2
9				

折り返し位置を変更したい場合は、セルの幅をドラッグ操作で調整しましょう。

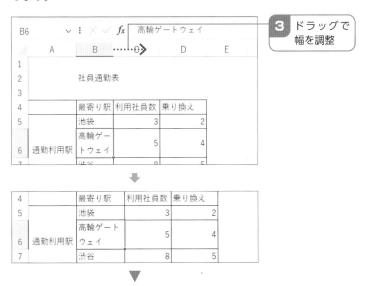

3 ドラッグで 幅を調整

B6		×✓ fx	高輪ゲートウェイ	
	A	B	D	E
1				
2		社員通勤表		
3				
4		最寄り駅	利用社員数	乗り換え
5		池袋	3	2
6	通勤利用駅	高輪ゲー トウェイ	5	4
7		渋谷	8	5

4		最寄り駅	利用社員数	乗り換え
5		池袋	3	2
6	通勤利用駅	高輪ゲート ウェイ	5	4
7		渋谷	8	5

折り返し表示を解除する場合は、再度**折り返して全体を表示する**をクリックします。

4 折り返して全体 を表示するをク リック

文字を縮小して表示する

文字を折り返して表示した場合、表の縦幅が変更されてしまう可能性があります。横幅も縦幅もそのままに長い文字をセル内に収めたい場合は、文字を縮小して表示しましょう。

文字を縮小して表示する

文字を縮小して表示するセルをクリックして選択します。

	A	B	C	D	E
1					
2		社員通勤表			
3					
4		最寄り駅	利用社員数	乗り換え	
5		池袋	3	2	
6	通勤利用駅	高輪ゲートウ	5	4	
7		渋谷	8	5	
8		新宿	4	2	
9					
10					

1 セルをクリック

ホームタブの**数値**グループの「🔽」をクリックします。

2 「🔽」をクリック

セルの書式設定ダイアログが表示されるので、**配置**をクリックします。

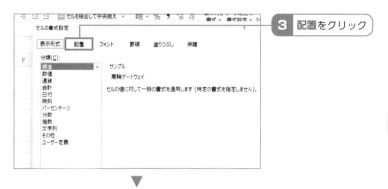

3 配置をクリック

縮小して全体を表示するをクリックしてチェックを入れて、**OK**をクリックします。

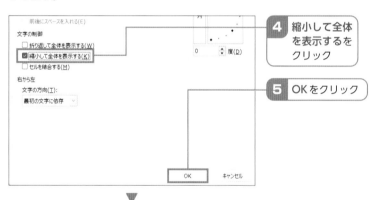

4 縮小して全体を表示するをクリック

5 OKをクリック

セル内で文字が縮小されて表示されます。

	A	B	C	D	E	F	G	H
1								
2		社員通勤表						
3								
4		最寄り駅	利用社員数	乗り換え				
5		池袋	3	2				
6	通勤利用駅	高輪ゲートウェイ	5	4				
7		渋谷	8	5				
8		新宿	4	2				
9								

Section

31

文字の配置を設定する

通常、セルに文字を入力した場合は左揃えに、数値を入力した場合は右揃えに入力されます。この配置は、左と右の他に中央揃えにすることができます。また、上下中央の配置も変更することができます。

文字の配置を設定する

文字の配置を変更するセルをクリックして選択します。ここでは、中央揃えに変更します。

1 セルをクリック

ホームタブの配置グループの「≡」をクリックします。

2 「≡」をクリック

配置が中央揃えになります。

Hint
左揃えや右揃えにしたい場合

配置を左揃えにしたい場合は「≡」を、右揃えにしたい場合は「≡」をクリックしましょう。

Hint
上下中央の配置を設定する

左右の他に上下の配置を変更することもできます。ホームタブの配置グループから変更します。上揃えにしたい場合は「≡」を、下揃えにしたい場合は「≡」を、中央揃えにしたい場合は「≡」をそれぞれクリックします。

文字の向きを設定する

セルに文字や数値を入力すると、横書きで表示されます。このまま利用することが多いのですが、場合によっては縦書きを使うこともあるでしょう。その場合の設定方法を紹介します。

文字の向きを設定する

横書きの文字を縦書きに変更しましょう。文字の向きを変更するセルをクリックして選択します。

ホームタブの配置グループの「＊」をクリックします。

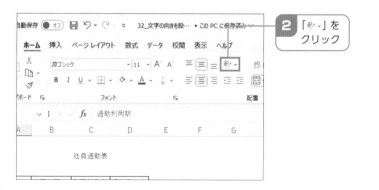

縦書きをクリックします。

③ 縦書きを
クリック

文字が縦書きに変更されます。

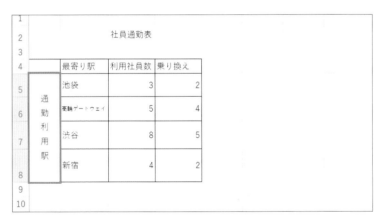

Hint

横書きに戻したい場合

元の横書きに戻したい場合は、再
度同じ操作で縦書きをクリックし
ましょう。

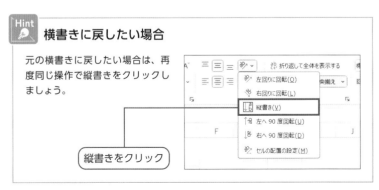

縦書きをクリック

Section

33 文字にフリガナを付ける

難しい漢字や、通常読みをしない名前の社員など、読み方がわかりづらい
文字がある場合は、フリガナを付けるとよいでしょう。フリガナは設定後
に編集することもできます。

文字にフリガナを付ける

フリガナを付けたい文字のあるセルをクリックして選択します。

1 セルをクリック

▼

ホームタブの**フォント**グループの「 ア 亜 」をクリックすると、フリガナが表
示されます。

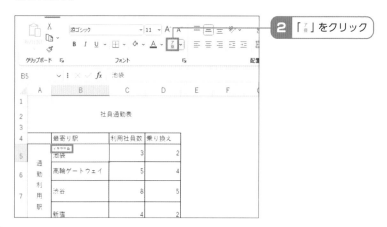

2 「 ア 亜 」をクリック

::::: フリガナを編集する

フリガナを編集したい文字のあるセルを、クリックして選択します。

1 セルをクリック

ホームタブの**フォント**グループの「 ⌐ ̄ 」の「∨」をクリックしてメニューを
表示し、**ふりがなの編集**をクリックします。

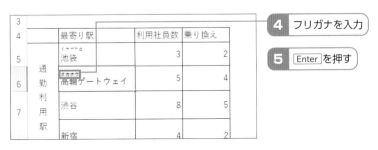

2 「 ⌐ ̄ 」の「∨」を
クリック

3 ふりがなの編集
をクリック

フリガナを入力しなおして、Enter を押すとフリガナが編集されます。

4 フリガナを入力

5 Enter を押す

Section
34
セルに条件付き書式を設定する

セルに特定の条件を満たす文字や数値を入力すると、書式が自動的に変更されるような設定を行いましょう。ここでは例として、テストの点数が75点以上の場合にセルが赤く表示されるように設定してみます。

条件付き書式を設定する

条件付き書式を設定するセルを選択します。今回は複数のセルに設定するのでドラッグして選択します。

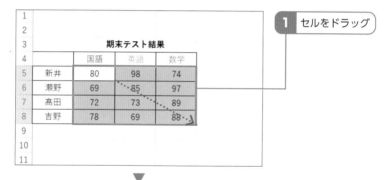

1 セルをドラッグ

期末テスト結果

	国語	英語	数学
新井	80	98	74
瀬野	69	85	97
高田	72	73	89
吉野	78	69	88

▼

ホームタブの**スタイル**グループの**条件付き書式**をクリックします。

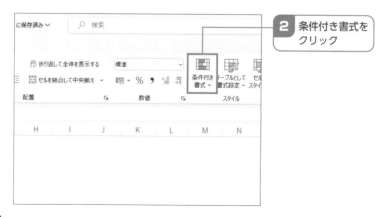

2 条件付き書式をクリック

セルの強調表示ルールをクリックします。

3 セルの強調表示ルールをクリック

▼

指定の値より大きいをクリックします。

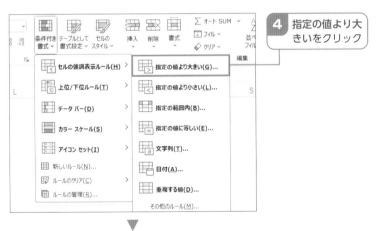

4 指定の値より大きいをクリック

▼

まずは数値を指定します。左の欄に「**75**」と入力します。

5 数値を入力

書式の「∨」をクリックして、書式を選択します。ここでは、**明るい赤の背景**をクリックします。

6 書式の右の「∨」をクリック

7 明るい赤の背景をクリック

▼

OKをクリックします。

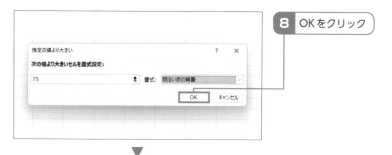

8 OKをクリック

▼

75点以上のセルが赤く表示されます。

	A	B	C	D	E	F	G
1							
2							
3			期末テスト結果				
4		国語	英語	数学			
5	新井	80	98	74			
6	瀬野	69	85	97			
7	高田	72	73	89			
8	吉野	78	69	88			
9							
10							
11							

第 **4** 章

データの整理

練習用ファイル　35_入力したデータを修正する.xlsx

入力したデータを修正する

セルに文字や数値を入力し、確定後にデータを修正したいといった場合、
後から編集することが可能です。セルの編集はダブルクリックかキーボー
ドの F2 で行うことができます。

ダブルクリックでデータを修正する

データを修正するセルをダブルクリックし、入力できる状態にします。

社員No.	名前	住所		電話番号	部署	支社
		都道府県	市区町村			
1	広沢茜	東京都	江東区	090-0000-1111	営業部	東京支社
2	久保田浩紀	埼玉県	さいたま市	080-1111-2222	経理部	埼玉支社
3	本田正人	埼玉県	川口市	090-5555-3333	営業部	東京支社
4	秋野寛子	東京都	江東区	070-2222-3333	営業部	東京支社
5	山崎優斗	東京都	江戸川区	090-8888-9999	営業部	千葉支社
6	上田紗枝	千葉県	習志野市	080-2222-7777	経理部	千葉支社

1 セルをダブル
クリック

▼

データを入力しなおし、 Enter で確定します。

社員No.	名前	住所		電話番号	部署	支社
		都道府県	市区町村			
1	広沢茜	埼玉県		090-0000-1111	営業部	東京支社
2	久保田浩紀	埼玉県	さいたま市	080-1111-2222	経理部	埼玉支社
3	本田正人	埼玉県	川口市	090-5555-3333	営業部	東京支社
4	秋野寛子	東京都	江東区	070-2222-3333	営業部	東京支社
5	山崎優斗	東京都	江戸川区	090-8888-9999	営業部	千葉支社
6	上田紗枝	千葉県	習志野市	080-2222-7777	経理部	千葉支社

2 データを入力

3 Enter を押す

:::: F2 でデータを修正する

データを修正するセルをクリックして選択します。

キーボードの F2 を押すと、入力できる状態になります。

データを入力しなおし、 Enter で確定します。

Section

36

データを移動する

セルのコピーについては、38ページで学習をしました。ではコピーではなく、そのまま移動させる場合はどうするのでしょうか。コピーして貼り付けをし、元のデータを削除では手間がかかりますが、もっと便利な方法があります。

データを切り取って移動する

移動するセルをクリックして選択し、**ホーム**タブの**クリップボード**グループの「✂」をクリックします。

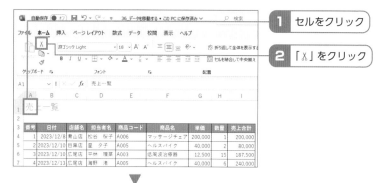

1 セルをクリック

2 「✂」をクリック

▼

移動先のセルをクリックして選択し、**ホーム**タブの**クリップボード**グループの「📋」をクリックすると、データが移動できます。

3 セルをクリック

4 「📋」をクリック

セルをドラッグして移動する

移動するセルをクリックして選択します。

1 セルをクリック

マウスカーソルを選択したセルの枠あたりに移動して、「⛶」に変化させます。そのまま移動したい位置へドラッグします。

2 マウスカーソルを移動

3 ドラッグ

ドラッグが完了すると、その位置のセルにデータが移動できます。

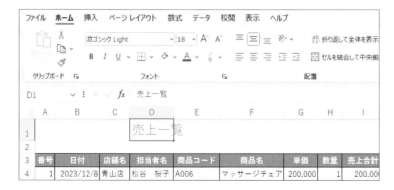

Section

37

データを検索/置換する

膨大な量が入力されている表では、確認したい項目の位置を探すのが大変です。そのような場合は「検索」を使いましょう。また、修正したい文字を一括で変更する場合は「置換」を使うと便利です。

データを検索する

ホームタブの**編集**グループの**検索と選択**をクリックしてメニューを表示し、**検索**をクリックします。

1 検索と選択を
クリック

2 検索をクリック

検索したい文字を入力し、**すべて検索**または**次を検索**をクリックすると、入力した文字を探すことができます。

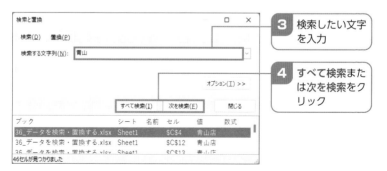

3 検索したい文字
を入力

4 すべて検索また
は次を検索をク
リック

データを置換する

ホームタブの編集グループの検索と選択をクリックしてメニューを表示し、置換をクリックします。

1 検索と選択をクリック

2 置換をクリック

検索したい文字と置換後の文字を入力します。入力が完了したら、**すべて置換**をクリックします。

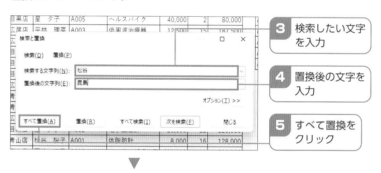

3 検索したい文字を入力

4 置換後の文字を入力

5 すべて置換をクリック

文字が置換されます。

署名	商品コード	商品名	単価	数量	売上合計
桜子	A006	マッサージチェア	200,000	1	200,000
子	A005	ヘルスバイク	40,000	2	80,000
理菜	A003	低周波治療器	12,500	15	187,500

商品コード	商品名	単価
A001	体脂肪計	8,000
A002	電子血圧計	10,000
		12,500
		23,000
	ク	40,000
	チェア	200,000

Microsoft Excel ×

25 件を置換しました。

OK

置換(P)

列(N): 松谷

列(E): 鹿島

オプション(I) >>

Section

38 データを並べ替える

表に入力したデータをあいうえお順にしたり、数値が大きな順に並べ替えたい場合、いちいち入力しなおす必要はありません。エクセルには並べ替えの機能が備わっており、昇順や降順も変更することができます。

▦ データを並べ替える

並べ替えを行いたい表のセルをクリックして選択します。表内であればどのセルを選択しても構いませんが、並べ替えたい項目の列のセルを選択しましょう。

1 セルをクリック

ホームタブの編集グループの並べ替えとフィルターをクリックします。

2 並べ替えとフィルターをクリック。

112

昇順または**降順**をクリックします。

表のデータが並べ替えられます。

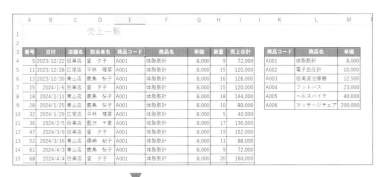

別の項目で並べ替えを行いたい場合や昇順と降順を入れ替えたい場合は、
同じ手順で操作し、項目の選択位置や**昇順**と**降順**の選択を変えましょう。

並べ替えの優先度を追加する

112ページの方法で並べ替えを行った場合、選択したセルの項目が最優先で並べ替えられますが、それ以外の項目の優先度はありません。商品コード順を最優先に並べ替えつつ、店舗名順に並べ替えたいといった、優先度を追加する並べ替えを行いましょう。最初に、並べ替えを行いたい表のセルをクリックして選択します。

ホームタブの編集グループの並べ替えとフィルターをクリックします。

ユーザー設定の並べ替えをクリックします。

最優先されるキーで1番目に優先したい列の項目を選択して、**レベルの追加**をクリックします。

4 項目を選択

5 レベルの追加を
クリック

次に**優先されるキー**で2番目に優先したい列の項目を選択します。順序は**昇順**に設定し、**OK**をクリックします。

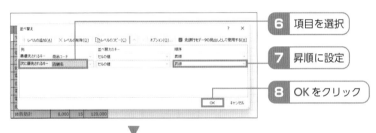

6 項目を選択

7 昇順に設定

8 OK をクリック

商品コード順を最優先に並べ替えつつ、店舗名順に並べ替えることができます。

	A	B	C	D	E	F	G	H	I	J	K
1				売上一覧							
2											
3	番号	日付	店舗名	担当者名	商品コード	商品名	単価	数量	売上合計		商品コー
4	13	2023/12/30	青山店	鹿島　桜子	A001	体脂肪計	8,000	16	128,000		A001
5	18	2024/1/11	青山店	鹿島　桜子	A001	体脂肪計	8,000	18	144,000		A002
6	28	2024/1/25	青山店	鹿島　桜子	A001	体脂肪計	8,000	10	80,000		A003
7	52	2024/3/16	青山店	藤崎　紀子	A001	体脂肪計	8,000	11	88,000		A004
8	61	2024/4/3	青山店	鹿島　桜子	A001	体脂肪計	8,000	9	72,000		A005
9	75	2024/4/21	青山店	藤崎　紀子	A001	体脂肪計	8,000	10	80,000		A006
10	93	2024/5/21	青山店	藤崎　紀子	A001	体脂肪計	8,000	20	160,000		
11	11	2023/12/28	広尾店	平林　理菜	A001	体脂肪計	8,000	15	120,000		
12	32	2024/1/29	広尾店	平林　理菜	A001	体脂肪計	8,000	5	40,000		
13	79	2024/4/26	広尾店	平林　理菜	A001	体脂肪計	8,000	13	104,000		
14	5	2023/12/22	目黒店	星　夕子	A001	体脂肪計	8,000	9	72,000		
15	15	2024/1/6	目黒店	星　夕子	A001	体脂肪計	8,000	15	120,000		
16	36	2024/2/5	目黒店	藍沢　千夏	A001	体脂肪計	8,000	17	136,000		
17	47	2024/3/9	目黒店	星　夕子	A001	体脂肪計	8,000	19	152,000		
18	68	2024/4/4	目黒店	星　夕子	A001	体脂肪計	8,000	20	160,000		

Section

39

必要なデータだけを表示する

表の中で特定のデータの内容だけ知りたいといった場合は、フィルター機能を使うと便利です。フィルターを使うと特定のデータの項目のみを抜き取り表示することができます。

::: フィルターとは

エクセルのフィルターを使うと、一覧表やデータリストなどの膨大な量のデータの中から、特定の条件を満たすデータのみを抽出することができます。抽出する条件は自分で設定することができ、また複数の条件を設定することも可能です。今回は、商品の一覧表から特定の条件に該当する商品を抽出する方法を紹介します。

⠿ フィルターを活用する

フィルターを設定する表のセルをクリックして選択します。表内であれば
どのセルでも構いません。

1 セルをクリック

ホームタブの**編集**グループの**並べ替えとフィルター**をクリックします。

2 並べ替えとフィルターをクリック

フィルターをクリックします。

3 フィルターをクリック

表にフィルターが設定されます。

抽出したい項目の列の「▼」をクリックします。

抽出したいデータ（ここでは**青山店**）をクリックしてチェックを入れ、
OKをクリックします。

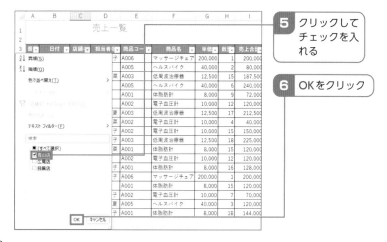

フィルターで抽出された項目のみのデータを確認することができます。

番	日付	店舗名	担当者名	商品コード	商品名	単価	数量	売上合計		商品コード	商品名	単価
1	2023/12/8	青山店	鹿島 桜子	A006	マッサージチェア	200,000	1	200,000		A001	体脂肪計	8,000
9	2023/12/24	青山店	藤崎 紀子	A002	電子血圧計	10,000	15	150,000				
10	2023/12/27	青山店	鹿島 桜子	A003	低周波治療機	12,500	18	225,000				
13	2023/12/30	青山店	鹿島 桜子	A001	体脂肪計	8,000	16	128,000				
14	2023/12/30	青山店	藤崎 紀子	A006	マッサージチェア	200,000	1	200,000				
16	2024/1/6	青山店	鹿島 桜子	A002	電子血圧計	10,000	7	70,000				
18	2024/1/11	青山店	鹿島 桜子	A001	体脂肪計	8,000	18	144,000				
23	2024/1/20	青山店	藤崎 紀子	A003	低周波治療機	12,500	12	150,000				
24	2024/1/21	青山店	藤崎 紀子	A002	電子血圧計	10,000	15	150,000				
25	2024/1/21	青山店	鹿島 桜子	A004	フットバス	23,000	10	230,000				
26	2024/1/21	青山店	鹿島 桜子	A005	ヘルスバイク	40,000	5	200,000				
28	2024/1/25	青山店	鹿島 桜子	A001	体脂肪計	8,000	10	80,000				
29	2024/1/25	青山店	藤崎 紀子	A005	ヘルスバイク	40,000	3	120,000				

さらに追加で抽出したい項目の列の「▼」をクリックして、抽出したいデータ（ここでは**A001**）をクリックしてチェックを入れ、**OK**をクリックします。

7 「▼」をクリック

8 クリックしてチェックを入れる

9 OKをクリック

複数の条件で抽出された項目のデータを確認することができます。

番	日付	店舗名	担当者名	商品コード	商品名	単価	数量	売上合計		商品コード
13	2023/12/30	青山店	鹿島 桜子	A001	体脂肪計	8,000	16	128,000		
18	2024/1/11	青山店	鹿島 桜子	A001	体脂肪計	8,000	18	144,000		
28	2024/1/25	青山店	鹿島 桜子	A001	体脂肪計	8,000	10	80,000		
52	2024/3/16	青山店	藤崎 紀子	A001	体脂肪計	8,000	11	88,000		
61	2024/4/3	青山店	鹿島 桜子	A001	体脂肪計	8,000	9	72,000		
75	2024/4/21	青山店	藤崎 紀子	A001	体脂肪計	8,000	10	80,000		
93	2024/5/21	青山店	藤崎 紀子	A001	体脂肪計	8,000	20	160,000		

Section

40

テーブルを活用する

表を作成したうえで、表に書式を設定したり、並べ替えを行ったり、フィルターをかけたりすることが多いですが、これを一括で設定することができるのがテーブル機能です。

▦ テーブルとは

表を作っている際に、行や列の項目が増えていくたびにセルの書式設定や、色分けを修正していくのが非常に手間です。そこで便利なのがテーブル機能です。表にテーブルを設定すると、行や列を追加しても自動的に書式が設定される表に変換することができます。また、テーブルを設定した表は、すぐに並べ替えやフィルターを設定することができるようになります。

::::: テーブルを設定する

テーブルを設定する表のセルをクリックして選択します。表内であればどのセルでも構いません。

1 セルをクリック

挿入タブの**テーブル**グループの**テーブル**をクリックします。

2 テーブルをクリック

テーブルに設定する表の範囲を確認して、**OK**をクリックします。

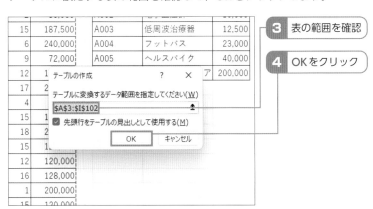

3 表の範囲を確認

4 OKをクリック

テーブルが設定されます。

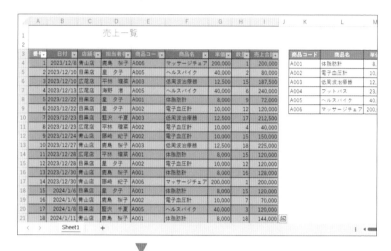

テーブルデザインタブをクリックします。

5 テーブルデザインをクリック

リボンからテーブルのスタイルなどを変更することができます。

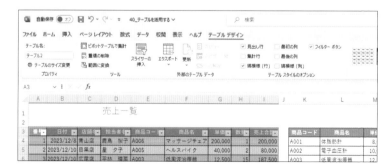

テーブルでデータを並べ替える

テーブルの「▼」をクリックします。

1 「▼」をクリック

並べ替えやフィルターを設定することができます。OKをクリックすると、並べ替えやフィルターで抽出されたデータが表示されます。

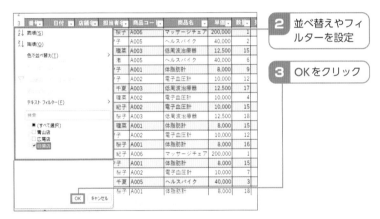

2 並べ替えやフィルターを設定

3 OKをクリック

Hint

テーブルを解除する

テーブルを解除したい場合は、テーブルデザインタブのツールグループの範囲に変換❶をクリックし、はい❷をクリックします。なお、テーブルを解除しても表に設定されたスタイルはそのまま残ります。

連続するデータを自動で入力する

「1,2,3…」や「月火水…」といったような連続するデータを入力する場合、毎回セルを選択しなおして1つずつ入力していくのは非常に手間です。そこで便利なのがオートフィルを使った入力です。ここでは例として曜日を入力してみましょう。

連続するデータを自動で入力する

表の「月」と入力されているセルをクリックして選択します。

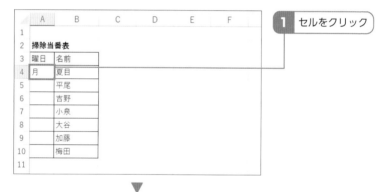

> 1 セルをクリック

マウスカーソルを選択したセルの右下の位置まで持っていき、「➕」の状態にします。

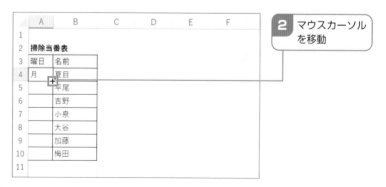

> 2 マウスカーソルを移動

そのまま連続して入力したい方向へドラッグします。ここでは下方向にドラッグします。

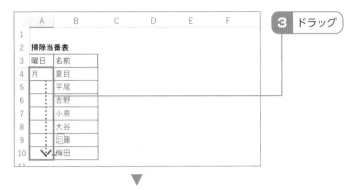

3 ドラッグ

「火」以降が連続で自動で入力されます。

Hint 選択するセルに注意

曜日の例では1つのセルを選択するのみで連続したデータを入力できましたが、数字などの場合は注意が必要です。1から順に入力したい場合、「1」と入力されたセルのみを選択してオートフィルで入力すると、すべてのセルに「1」が入力されてしまいます。そのような場合は、「1」と隣接するセルに「2」を入力して、ドラッグで2つのセルを選択した状態でオートフィルを使いましょう。そうすれば「3」以降が自動で入力されます。

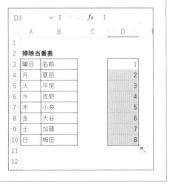

表を保護する

複数人でエクセルのデータをやり取りする場合、他の人に表やシート内の
データを勝手にいじられると困る場合があります。そのような場合は保護
をして他の人が編集できないようにするとよいでしょう。

表を保護する

保護する表全体をドラッグして選択します。

1 表をドラッグ

ホームタブの数値グループの「⌐」をクリックします。

2 「⌐」をクリック

保護をクリックします。

3 保護をクリック

ロックをクリックしてチェックを入れ、**OK**をクリックします。

4 ロックを
クリック

5 OKをクリック

校閲タブをクリックします。

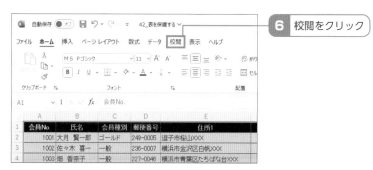

6 校閲をクリック

保護グループの**シートの保護**をクリックします。

7 シートの保護を
クリック

保護を解除するためのパスワードを入力します。

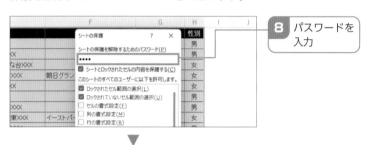

8 パスワードを
入力

ロックされたセルの範囲の選択をクリックしてチェックを入れ、**OK**をクリックします。この後に確認で、再度パスワードを入力して**OK**をクリックします。

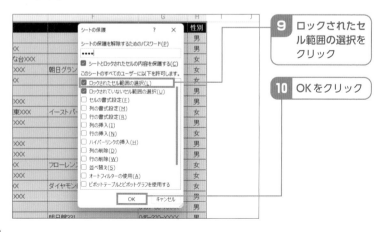

9 ロックされたセ
ル範囲の選択を
クリック

10 OKをクリック

表の保護を解除する

校閲タブの保護グループの**シート保護の解除**をクリックします。

1 シート保護の解除をクリック

▼

パスワードを入力し、**OK**をクリックします。

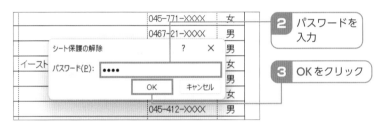

2 パスワードを入力

3 OKをクリック

4 データの整理

Hint ブックの保護

校閲タブの保護グループのブックの保護をクリックし、パスワードを入力すると、シートではなくブックの保護ができます。ブックの保護では、セルの編集などはパスワードを知らなくても行うことができますが、シートの追加やシート名の変更などはパスワードを入力しないと行うことができません。

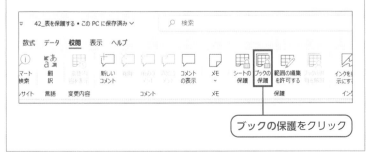

ブックの保護をクリック

表を複製する

表を複製したい場合、通常のコピーの方法では数値や文字の他に書式など
もコピーして貼り付けることができますが、列や行の幅はコピーできず、
貼り付け後に調整が必要です。その調整をしなくてもよい複製方法を紹介
します。

表を複製する

表全体をドラッグして選択し、コピーをしておきます。

1 表をドラッグ
して選択

2 コピー

複製先の表の左上の位置にあたるセルをクリックして選択します。

3 セルをクリック

ホームタブのクリップボードグループの貼り付けをクリックします。

4 貼り付けを
クリック

「🗒」(元の列幅を保持) をクリックします。

5 「🗒」をクリック

数値や文字、書式、列や行の幅をそのままに表の複製ができます。

Section

44 シートごと表を複製する

新たにシートを作成する際に、現在作成している表もそのまま複製したいという場合があります。シートを作成後に元のシートから表をコピーしてもよいのですが、一緒に複製をしてしまうほうが簡単です。

シートごと表を複製する

シートのタブを右クリックします。

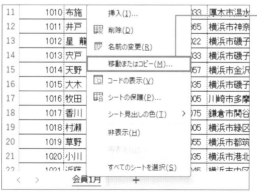

1 シートのタブを右クリック

移動またはコピーをクリックします。

2 移動またはコピーをクリック

コピーを作成するをクリックしてチェックを入れ、OKをクリックします。

3 コピーを作成するをクリック

4 OKをクリック

元のシートの内容をそのままコピーしたシートが複製されます。

Hint

シート名の変更

シート名を変更する場合は、シートのタブを右クリックし、名前の変更をクリックして、名前を入力しましょう。

名前の変更をクリック

表の一部を非表示にする

表を閲覧する際に、ある期間と離れた期間のデータを見比べたい場合、その間の行や列を非表示にすると見やすくなります。非表示にするとその行や列は圧縮されますが、再表示も簡単に行うことができます。

表の一部を非表示にする

非表示にする行の番号や列のアルファベットをクリックまたはドラッグで選択します。今回は列を非表示にします。

1 ドラッグして選択

選択された列のアルファベットを右クリックします。

2 右クリック

非表示をクリックします。

表の一部が非表示にされます。

再表示させたい場合は、圧縮されたアルファベット上で右クリックし、**再表示**をクリックします。

46

表の見出しを固定表示する

膨大なデータの量で表が大きくなった場合、画面をスクロールすると見出し行が見えなくなり、何の項目の列なのかわからなくなってしまいます。そのような場合は見出しを固定してしまい、スクロールしても表示されるようにしましょう。

表の見出しを固定表示する

固定表示にする見出しの入力されたセルをクリックして選択します。

1 セルをクリック

表示タブのウィンドウグループのウィンドウ枠の固定をクリックします。

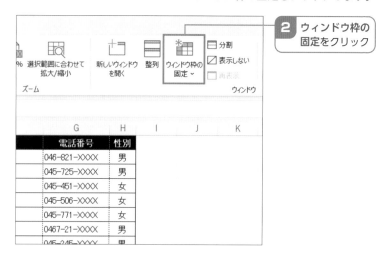

2 ウィンドウ枠の固定をクリック

固定方法を選択します。ここでは、**先頭行の固定**をクリックします。

3 先頭行の固定を
クリック

4

▼

先頭行が固定表示されるようになります。

	A	B	C	D	E	F	G	H
1	会員No.	氏名	会員種別	郵便番号	住所1	住所2	電話番号	性別
11	1010	布施 友香	一般	243-0033	厚木市温水××		046-556-××××	女
12	1011	井戸 剛	プラチナ	221-0865	横浜市神奈川区片倉×××		045-412-××××	男
13	1012	星 龍太郎	ゴールド	235-0022	横浜市磯子区汐見台×××		045-975-××××	男
14	1013	宍戸 真智子	一般	235-0033	横浜市磯子区杉田×××	フローレンスタワー2801	045-751-××××	女
15	1014	天野 真未	一般	236-0057	横浜市金沢区能見台×××		045-654-××××	女
16	1015	大木 花実	一般	235-0035	横浜市磯子区田中×××	ダイヤモンドマンション405	045-421-××××	女
17	1016	牧田 博	一般	214-0005	川崎市多摩区寺尾台×××		044-505-××××	男
18	1017	香川 泰男	一般	247-0075	鎌倉市関谷×××		0467-58-××××	男
19	1018	村瀬 稔彦	ゴールド	226-0005	横浜市緑区竹山×××	明日館331	045-320-××××	男
20	1019	草野 萌子	一般	224-0055	横浜市都筑区加賀原×××		045-511-××××	女
21	1020	小川 正一	一般	222-0035	横浜市港北区鳥山町×××		045-517-××××	男
22	1021	近藤 真夫	一般	231-0046	横浜市中区伊勢佐木町×××		045-623-××××	女
23	1022	坂井 早苗	プラチナ	236-0044	横浜市金沢区高舟台×××		045-705-××××	女
24	1023	鈴木 保一	一般	240-0017	横浜市保土ヶ谷区花見台×××	花見台一番館722	045-612-××××	男
25								
26								
27								
28								

▼

固定表示を解除したい場合は、**表示**タブの**ウィンドウ**グループの**ウィンドウ枠の固定**をクリックして、**ウィンドウ枠固定の解除**をクリックします。

4 ウィンドウ枠固定の解除をクリック

練習用ファイル 47_ヘッダーとフッターを挿入する.xlsx

ヘッダーとフッターを挿入する

表を印刷した際に、ヘッダーに資料名や会議の名前を、フッターには資料番号などを記入しておくとわかりやすくなります。ヘッダーとフッターには自由に記入することが可能です。

ヘッダーとフッターを挿入する

挿入タブの**テキスト**グループの**ヘッダーとフッター**をクリックします。

1 ヘッダーとフッターをクリック

画面が切り替わり、ヘッダーとフッターに入力ができるようになります。

挿入したいヘッダー位置をクリックして、表示する文字を入力し、[Enter]
を押して確定します。

2 クリックして入力

3 [Enter]を押す

フッターにページ番号を挿入します。挿入したいフッター位置をクリック
して、**ヘッダーとフッター**タブの**ヘッダー/フッター要素**グループの**ペー
ジ番号**をクリックします。

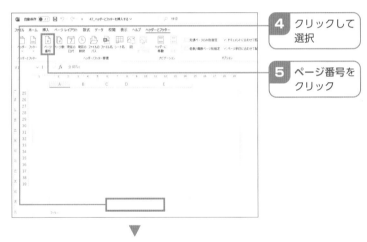

4 クリックして選択

5 ページ番号をクリック

ヘッダーとフッターを挿入したら、画面右下の「冊」をクリックすること
で表作成画面に戻ることができます。

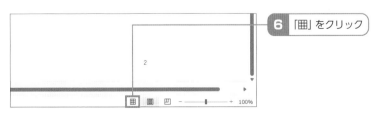

6 「冊」をクリック

表にコメントを追加する

他の誰かとエクセルデータを共有している場合、相手にわかりやすいように修正指示などのコメントを残してあげると共同作業が行いやすくなります。また、コメントは、次の作業はどこから行うのかなど自分用のメモとしても活用できます。

表にコメントを追加する

コメントを追加するセルをクリックして選択します。

1 セルをクリック

挿入タブの**コメント**グループの**コメント**をクリックします。

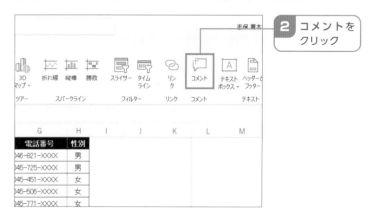

2 コメントをクリック

コメントを入力し、Enter を押して確定します。

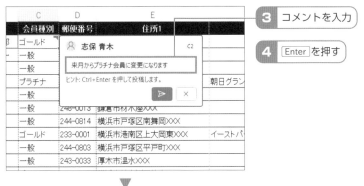

3 コメントを入力

4 Enter を押す

▼

「▷」をクリックします。

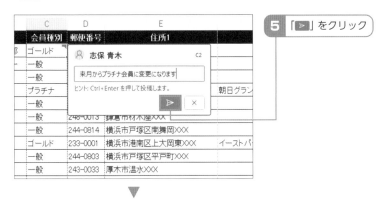

5 「▷」をクリック

▼

コメントが追加されます。

C	D	E	F	G
会員種別	郵便番号	住所1	住所2	電話番号
ゴールド				046-821-XX
一般				045-725-XX
一般				045-451-XX
プラチナ			朝日グランドスクエア1103	045-506-XX
一般				045-771-XX
一般	248-0013	鎌倉市材木座XXX		0467-21-XX
一般	244-0814	横浜市戸塚区南舞岡XXX		045-245-XX
ゴールド	233-0001	横浜市港南区上大岡東XXX	イーストパーク上大岡805	045-301-XX
一般	244-0803	横浜市戸塚区平戸町XXX		045-651-XX
一般	243-0033	厚木市温水XXX		046-556-XX

⠿ コメントに返信する

コメントが追加されたセルは右上に「⬛」が付きます。マウスカーソルを乗せるとコメントが表示されます。

返信内容を入力し、「▷」をクリックすると返信されます。

コメントの「…」をクリックして、**スレッドを解決する**をクリックし、「🗑」をクリックするとコメントが削除されます。

第 **5** 章

計算と関数

四則計算をする

エクセルのいちばんの機能といえば表計算です。まずは四則計算を行いましょう。エクセルの四則計算は、セルとセルを参照して足し算などを行うことを指します。

足し算をする

ここでは B3 と C3 と D3 のセルの数値を足した数値が反映されるように計算を行います。足し算の合計を入力するセルをクリックして選択し、「＝」を入力します。

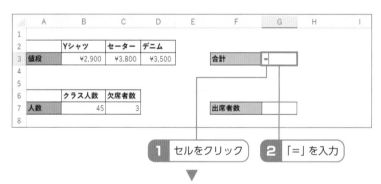

1 セルをクリック　　2 「＝」を入力

「＝」に続いて「B3+C3+D3」と入力し、Enter を押して確定すると、足し算の結果が表示されます。足し算は「+」(プラス) を使って計算します。

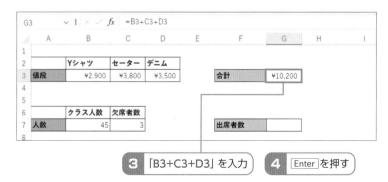

3 「B3+C3+D3」を入力　　4 Enter を押す

::::: その他の四則計算

引き算

引き算は「-」（マイナス）を使って計算します。残りの数を計算するときなどに利用します。

掛け算

掛け算は「*」（アスタリスク）を使って計算します。1個あたりの値段と個数から売上を計算するときなどに利用します。

割り算

割り算は「/」（スラッシュ）を使って計算します。1人あたりの数を計算するときなどに利用しましょう。

5

計算と関数

合計を計算する

合計を計算する場合、延々と足し算を入力するのでは大変手間です。そこで役に立つのが関数です。ここでは合計を簡単に導き出すことができるSUM関数を利用しましょう。

SUM関数を利用する

SUM関数を使って売上の合計を割り出しましょう。関数を入力するセルをクリックして選択します。

	A	B	C	D	E
1					
2		1月売上	2月売上	3月売上	合計
3	東京店	¥356,500	¥386,470	¥493,561	
4	埼玉店	¥128,259	¥258,746	¥189,574	
5	北海道店	¥306,958	¥654,231	¥459,631	
6	大阪店	¥228,547	¥798,215	¥504,920	
7	広島店	¥129,687	¥98,650	¥89,160	
8	合計				

1 セルをクリック

▼

最初に「=」を入力します。

	A	B	C	D	E
1					
2		1月売上	2月売上	3月売上	合計
3	東京店	¥356,500	¥386,470	¥493,561	=
4	埼玉店	¥128,259	¥258,746	¥189,574	
5	北海道店	¥306,958	¥654,231	¥459,631	
6	大阪店	¥228,547	¥798,215	¥504,920	
7	広島店	¥129,687	¥98,650	¥89,160	
8	合計				

2 「=」を入力

「=」に続いて「**SUM()**」と入力します。関数の場合はこの「()」を入力しないと認識されないので注意しましょう。

3 「SUM()」を入力

▼

「()」の中に合計を出したいセルの範囲 (ここでは**B3:D3**) を入力します。「○から○」の「から」は「**:**」で表しましょう。

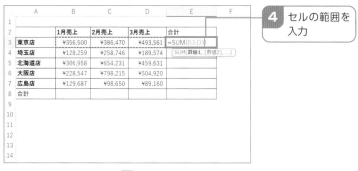

4 セルの範囲を入力

▼

入力が完了して [Enter] を押すと、合計の数値が表示されます。

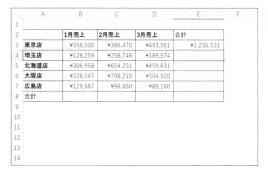

5 [Enter] を押す

147

::: オートSUMで計算する

SUM関数には自動で入力する方法もあります。先ほどと同様に合計を計算してみましょう。

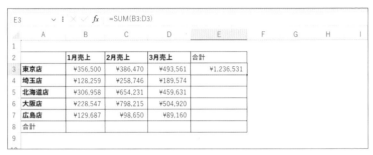

関数を入力するセルをクリックして選択します。

1 セルをクリック

ホームタブの編集グループの**オートSUM**の「∨」をクリックします。

2 オートSUMの「∨」をクリック

合計をクリックします。

3 合計をクリック

▼

合計する範囲を確認して、問題がないようであれば Enter を押して確定します。

4 セル範囲を確認して Enter を押す

▼

合計の数値が表示されます。

	A	B	C	D	E	F
1						
2		1月売上	2月売上	3月売上	合計	
3	東京店	¥356,500	¥386,470	¥493,561	¥1,236,531	
4	埼玉店	¥128,259	¥258,746	¥189,574	¥576,579	
5	北海道店	¥306,958	¥654,231	¥459,631		
6	大阪店	¥228,547	¥798,215	¥504,920		
7	広島店	¥129,687	¥98,650	¥89,160		
8	合計					
9						
10						
11						

Section

51

平均を計算する

合計の次は、数値の平均値を割り出してみましょう。ここでも関数が役に立ちます。平均にはAVERAGE関数を使います。関数の入力はSUM関数と同様に行いましょう。

AVERAGE関数を利用する

AVERAGE関数を使って平均値を割り出しましょう。関数を入力するセルをクリックして選択します。

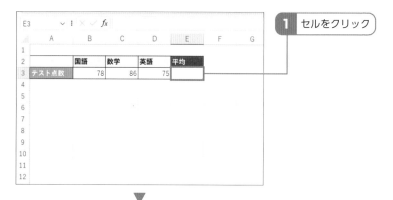

1 セルをクリック

ホームタブの**編集**グループの**オートSUM**の「∨」をクリックします。

2 オートSUMの「∨」をクリック

平均をクリックします。

3 平均をクリック

平均する範囲を確認して、問題がないようであれば Enter を押して確定します。

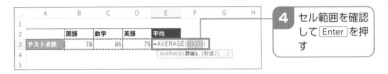

4 セル範囲を確認して Enter を押す

平均の値が表示されます。

Hint

平均の数を四捨五入して表示したい場合

AVERAGE関数で表示された関数は必ずしも割り切れる数で表示されるわけではありません。きれいな数値で表示したい場合は、四捨五入を行いましょう。四捨五入の関数については156ページで解説していますが、上記の手順でAVERAGE関数の四捨五入を割り出す場合は、「=ROUND (AVERAGE(B3:D3),0)」と入力しましょう。

Section
52

数値の個数を計算する

たとえば「名簿欄から人数が何人いるかどうか」を確認する場合、自分の目で数えていくのは非常に手間です。ここでも関数が役に立ちます。COUNT関数で数値の個数を数えてみましょう。

COUNT関数を利用する

COUNT関数を使って数値の個数を割り出しましょう。関数を入力するセルをクリックして選択します。

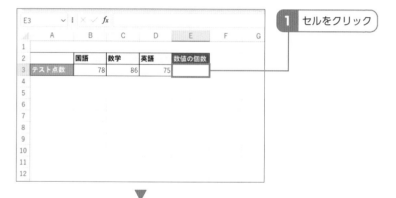

1 セルをクリック

ホームタブの編集グループのオートSUMの「∨」をクリックします。

2 オートSUMの「∨」をクリック

数値の個数をクリックします。

3 数値の個数を
クリック

数値の個数を数える範囲を確認して、問題がないようであれば Enter を押して確定します。

4 セル範囲を確認
して Enter を押
す

数値の個数が表示されます。

Hint

文字を含むセルの個数を数えたい場合

COUNT関数では、数値が入力されているセルしか数えることができません。文字を含むセルも数えたい場合は、COUNTA関数を使います。上記の手順4で「COUNT」を「COUNTA」に入力しなおすとよいでしょう。

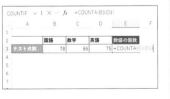

Section

53 計算式をコピーする

複数のセルで同じような計算を行いたい場合、コピーして貼り付けを行うと簡単に数式を入力することができます。また、セルが連続している場合はオートフィルも利用することができます。

計算式をコピーする

コピーするセルをクリックして選択し、**ホーム**タブの**クリップボード**グループの「📋」をクリックします。

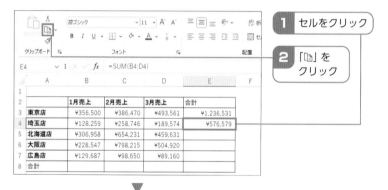

貼り付けるセルをクリックして選択し、**ホーム**タブの**クリップボード**グループの「📋」をクリックします。

▦ オートフィルでコピーする

コピーするセルをクリックして選択します。

セルをクリック

選択したセルの右下にマウスカーソルを重ね、「＋」に変化させます。

マウスカーソルを移動

コピーしたい方向へドラッグすると、オートフィルで入力されます。

ドラッグ

数値を四捨五入する

ある特定の数値の四捨五入した数値を表示したい場合は、手入力でも問題ありませんが、関数を利用することができます。ここでは、ROUND関数を使って四捨五入をしてみます。

ROUND関数を利用する

ROUND関数を使って数値を四捨五入しましょう。関数を入力するセルをクリックして選択します。

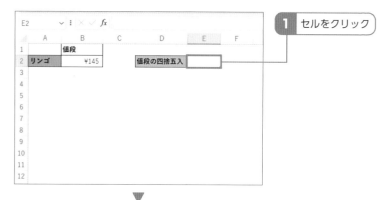

1 セルをクリック

最初に「=」を入力します。

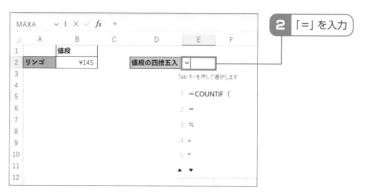

2 「=」を入力

「=」に続いて「**ROUND()**」と入力します。SUM関数と同様に、この「()」を入力しないと認識されないので注意しましょう。

「()」の中に四捨五入したいセル（ここでは**B2**）を入力します。続いて「**,-1**」と入力します。このときの「-1」とは桁数を表しており、この場合は1の位で四捨五入するということになります。

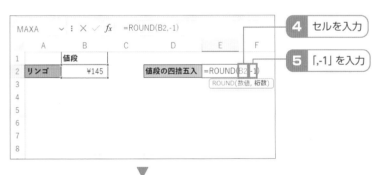

Enter を押して確定すると、四捨五入された数値が表示されます。

最大値/最小値を表示する

「商品の中でいちばん安いもの」「テストの結果の中でいちばん高い点数」
などを割り出したいときも関数を使いましょう。最大値はMAX関数、最
小値はMIN関数を使います。

MAX関数/MIN関数を利用する

MAX関数とMIN関数を使って数値の最大値と最小値を割り出しましょ
う。関数を入力するセルをクリックして選択します。

1 セルをクリック

▼

ホームタブの編集グループの**オートSUM**の「∨」をクリックします。

2 オートSUMの
「∨」をクリック

最大値を割り出したい場合は**最大値**をクリックします。最小値を割り出したい場合は**最小値**をクリックします。

3 最大値または最小値をクリック

割り出すセルの範囲を確認して、問題がないようであれば Enter を押して確定します。

	A	B	C	D	E	F	G	H	I	J
1										
2		1月売上	2月売上	3月売上	合計					
3	東京店	¥356,500	¥386,470	¥493,561			=MAX(B3:D7)			
4	埼玉店	¥128,259	¥258,746	¥189,574			MAX(数値1, [数値2], ...)			
5	北海道店	¥306,958	¥654,231	¥459,631						
6	大阪店	¥228,547	¥798,215	¥504,920						
7	広島店	¥129,687	¥98,650	¥89,160						
8	合計									
9										

4 セル範囲を確認して Enter を押す

最大値 / 最小値が表示されます。

	A	B	C	D	E	F	G
1							
2		1月売上	2月売上	3月売上	合計		
3	東京店	¥356,500	¥386,470	¥493,561			¥798,215
4	埼玉店	¥128,259	¥258,746	¥189,574			
5	北海道店	¥306,958	¥654,231	¥459,631			
6	大阪店	¥228,547	¥798,215	¥504,920			
7	広島店	¥129,687	¥98,650	¥89,160			
8	合計						
9							
10							
11							

5 計算と関数

159

関数の範囲を変更する

関数を入力する際に指定したセルの範囲を変更してみましょう。セルの範囲は、計算式に入力されたセルの範囲を入力しなおすだけで簡単に変更できます。

関数の範囲を変更する

関数の範囲を変更するセルをクリックして選択します。

1 セルをクリック

ダブルクリックするかキーボードの F2 を押して、セルのデータを編集できる状態にします。

2 ダブルクリックもしくは F2 を押す

セルの範囲を入力しなおします（ここでは**B3:B7**を入力します）。

3 セルの範囲を入力

▼

セルの範囲を確認し、 Enter を押して確定します。

4 Enter を押す

Hint
ドラッグでセルの範囲を変更する

セルの範囲は、手入力以外にドラッグ操作でも変更できます。関数の範囲として選択されているセルの四隅の「■」をドラッグして範囲を変更しましょう。

Section

57 セルの参照を設定する

関数でセルを指定する際に参照設定というものがあります。通常では相対参照でよいのですが、コピーしてもそのセルだけは参照先を変えたくないといった場合、絶対参照に設定する必要があります。

::::: 参照とは

相対参照

参照先がセル位置に連動して変化する参照方式です。数式が入力されているセルを基準として、他のセルの位置を相対的な位置関係で指定します。数式をコピーすると、コピー先のセル位置に応じて参照先のセルが自動的に変化します。

絶対参照

参照するセルが常に固定される参照方式です。「C3」のように「$」を付けることで絶対参照になります。数式をコピーしても、どの数式も同一のセルを参照し、変更されることはありません。

複合参照

相対参照と絶対参照の特徴を組み合わせた参照方式です。「C$5」「$C5」のように、セルの列または行のどちらか一方に「$」を付けることで、参照先の列または行だけが固定されて、複合参照になります。数式をコピーすると、常に列（または行）を固定しながら参照し、行（または列）はコピー先のセル位置に応じて自動的に変化します。

::::: セルの参照を設定する

ここでは例としてSUM関数のセルの参照設定を行います。146〜149
ページを参考に、セルにSUM関数を指定します。

1 関数を指定

セルの範囲を確定する際に、キーボードの F4 を押します。「＄○＄○」
は絶対参照、「＄○○」または「○＄○」は複合参照になります。F4 を押
すごとに「絶対参照→複合参照→相対参照……」を切り替えます。

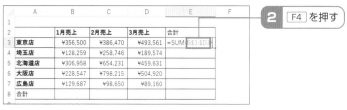

2 F4 を押す

絶対参照に設定したセルはコピーして貼り付けをしても、参照先のセルが
変更されることはありません。

	A	B	C	D	E	F
					=SUM(B$3:$D4)	
1						
2		1月売上	2月売上	3月売上	合計	
3	東京店	¥356,500	¥386,470	¥493,561	¥1,236,531	
4	埼玉店	¥128,259	¥258,746	¥189,574	¥1,813,110	
5	北海道店	¥306,958	¥654,231	¥459,631	¥3,233,930	
6	大阪店	¥228,547	¥798,215	¥504,920	¥4,765,612	
7	広島店	¥129,687	¥98,650	¥89,160	¥5,083,109	
8	合計					

Section

58 覚えておくと便利な関数

エクセルにはSUM関数やAVARAGE関数以外にも多数の関数が用意されています。ここでは、覚えておくとビジネスで役に立つ関数を5個紹介します。少し難しいですが、どういうものなのか確認しておくとよいでしょう。

IF関数

IF関数は、さまざまな論理式をもとに正しい場合と違う場合で条件分岐を作れる関数です。たとえば、ある数値に対してそれ以上なら〇、それ以下なら×を表示するといったことができます。この関数は他の関数と組み合わせることができ、幅広く活用できるので絶対覚えておくべき関数の1つと言えます。

IF関数を使うと下の画面のような、80点以上で合格、80点未満で不合格といった成績を割り出すことができます。

80点以上で「合格」、80点未満で「不合格」と表示します。

IF関数は「=IF(論理式,真の場合,偽の場合)」で入力します。

::::: COUNTIF関数

COUNT関数はデータの個数を数える関数です。**COUNTIF関数**はそれに
IF関数が加わった形となり、条件に合うデータの個数を数える関数とな
ります。この関数を使えば特定の文字が入っているセルの個数を数えた
り、逆に特定の文字以外のセルの個数を数えたりすることができます。よ
く使用する例としては、顧客名簿の男性の人数だけ数えたり、ある表の空
白セル以外の個数を数えたりします。

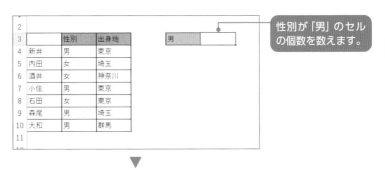

性別が「男」のセル
の個数を数えます。

COUNTIF関数は「**=COUNTIF(範囲, 条件)**」で入力します。

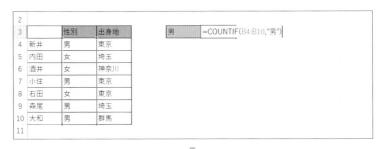

∷ SUMIF関数

SUM関数はデータの合計を数える関数です。**SUMIF関数**はそれにIF関数が加わった形となり、条件に合うデータを合計する関数となります。この関数を使えば特定の商品のみの売上個数や金額を割り出すことができます。

SUMIF関数を使うと下の画面のような、各店舗の売上からワイシャツのみの売上金額の合計を割り出すといったことができます。

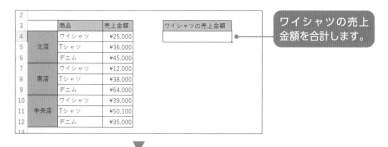

SUMIF関数は「=SUMIF(範囲,条件,合計範囲)」で入力します。

::: VLOOKUP関数

VLOOKUP関数とは、検索条件に一致するデータを指定範囲の中から探して表示してくれる関数です。特定の値で表を検索し、表の中の必要な情報を抽出することができます。また、もとになるデータから値を取得することで、数字や文字の間違いや表記のブレを防ぐこともできます。

VLOOKUP関数を使うと下の画面のような、商品コードや商品名を入力するだけで、単価を表示させるといったことができます。

2	商品コード	商品名	単価
3	10001	リンゴ	
4			
5	商品コード	商品名	単価
6	10000	バナナ	¥120
7	10001	リンゴ	¥100
8	10002	みかん	¥80
9	10003	パイナップル	¥800
10	10004	マンゴー	¥1,200
11	10005	キウイ	¥300
12	10006	プラム	¥280

リンゴの単価を表から抽出します。

VLOOKUP関数は「**=VLOOKUP(検索値, 範囲, 列番号, 検索方法)**」で入力します。

2	商品コード	商品名	単価
3	10001	リンゴ	=VLOOKUP(A3,A6:C12,3,FALSE)
4			
5	商品コード	商品名	単価
6	10000	バナナ	¥120
7	10001	リンゴ	¥100
8	10002	みかん	¥80
9	10003	パイナップル	¥800
10	10004	マンゴー	¥1,200
11	10005	キウイ	¥300
12	10006	プラム	¥280

2	商品コード	商品名	単価
3	10001	リンゴ	¥100
4			
5	商品コード	商品名	単価
6	10000	バナナ	¥120
7	10001	リンゴ	¥100
8	10002	みかん	¥80
9	10003	パイナップル	¥800
10	10004	マンゴー	¥1,200
11	10005	キウイ	¥300
12	10006	プラム	¥280

::::: XLOOKUP関数

XLOOKUP関数とは検索条件に一致するデータを指定範囲の中から探して表示してくれる関数です。VLOOKUP関数と同様の機能を持っていますが、より柔軟に条件を指定することができます。しかし、その分VLOOKUP関数より数式が複雑になるというデメリットもあるので、うまく使い分けましょう。

XLOOKUP関数を使うと、下の画面のような、商品コードや商品名を入力するだけで、単価を表示させるといったことができます。

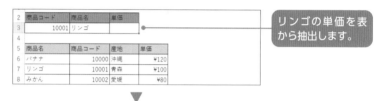

リンゴの単価を表から抽出します。

XLOOKUP関数は「**=XLOOKUP(検索値,範囲,戻り値範囲,見つからない場合,一致モード,検索モード)**」で入力します。

第 **6** 章

グラフの作成

Section

59 折れ線グラフを作成する

エクセルで表を作成したら、その表をもとにグラフを作成してみましょう。年間売上などのグラフを作れば、表の数値で見るよりわかりやすくなります。まずは折れ線グラフを作成しましょう。

折れ線グラフを作成する

グラフを作成したい表の中のセルをクリックして選択します。表内であればどのセルでも構いません。

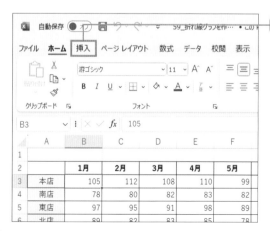

1 セルをクリック

挿入タブをクリックします。

2 挿入をクリック

グラフグループの「⋈⌄」をクリックします。

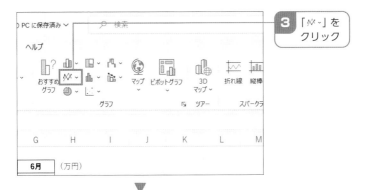

3 「⋈⌄」を
クリック

グラフの種類を選択します。ここでは、「⌇」をクリックします。

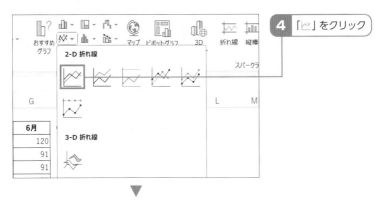

4 「⌇」をクリック

折れ線グラフが作成されます。

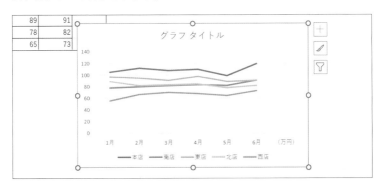

6

グラフの作成

171

Section

60 グラフの種類を変更する

エクセルには折れ線グラフ以外にもさまざまなグラフが収録されています。
ここでは、折れ線グラフから縦棒グラフに変更する方法を紹介しますが、
他にもグラフの種類があるのでいろいろ試してみるとよいでしょう。

::: グラフの種類を変更する

種類を変更するグラフをクリックして選択します。

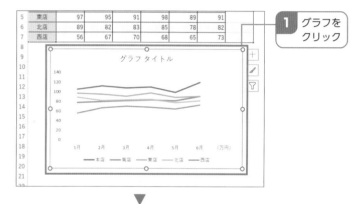

1 グラフを
クリック

▼

グラフのデザインタブの**種類**グループの**グラフの種類の変更**をクリックします。

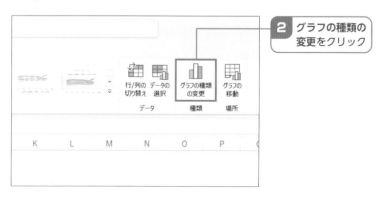

2 グラフの種類の
変更をクリック

変更したいグラフの種類を選択します。ここでは、**縦棒**をクリックします。

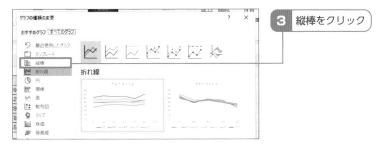

3 縦棒をクリック

▼

グラフの内容を選択して、OKをクリックします。

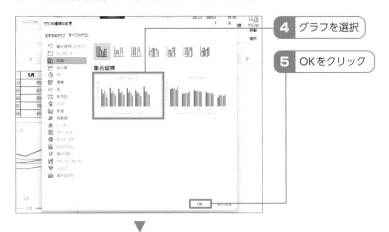

4 グラフを選択

5 OKをクリック

▼

グラフの種類が変更されます。

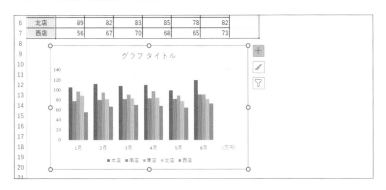

173

グラフのデータを修正する

グラフは表のデータや数値に基づいて作成します。表のデータや数値を入力しなおすと自動的にグラフのデータも切り替わります。どのように変わるかを確認しましょう。

グラフのデータを修正する

170 ～ 171 ページを参考に、グラフを作成しておきます。

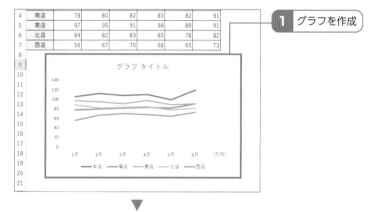

1 グラフを作成

データを修正するセルをクリックして選択します。

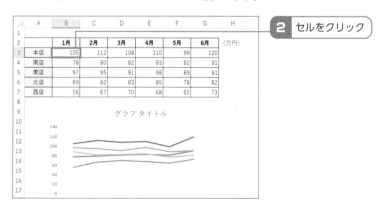

2 セルをクリック

数値を入力しなおし、Enter を押して確定します。

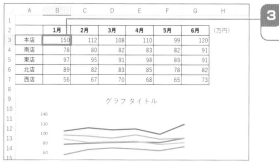

3 数値を入力し、Enter を押す

グラフのデータも自動的に修正されます。

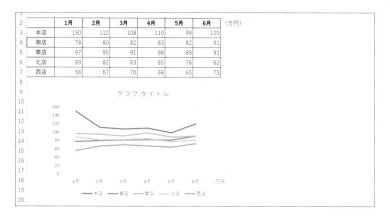

Hint

数値だけでなく文字も自動で切り替わる

数値の変更を例に手順を紹介しましたが、文字のデータを入力しなおした場合でも、自動的にグラフに反映されます。

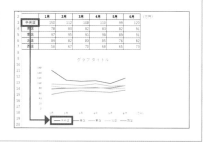

Section

62 グラフに見出しを付ける

作成したグラフには、見出しを付けるための「グラフタイトル」の要素が
最初から追加されています。なお、ここではグラフタイトルや他の要素が
付いていなかった場合の追加方法も紹介します。

グラフに見出しを付ける

170〜171ページを参考に、グラフを作成しておきます。

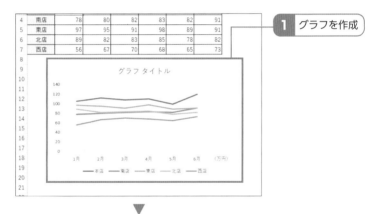

1 グラフを作成

▼

グラフタイトルをクリックします。

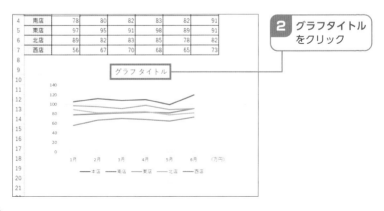

2 グラフタイトル
をクリック

見出しを入力し、Enter を押して確定します。

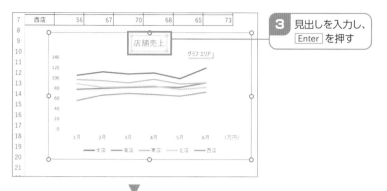

3 見出しを入力し、Enter を押す

▼

グラフに見出しが付きます。

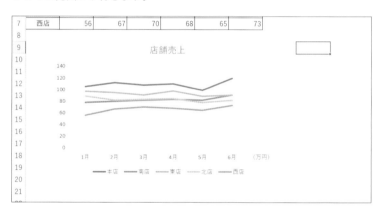

Hint
グラフの見出しに書式設定する

グラフの見出しなどの要素に
は書式を設定することができ
ます。グラフタイトルなどの
要素をクリックして選択し、
書式タブをクリックすると、
リボンで書式を設定できま
す。

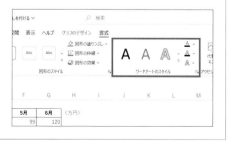

グラフにその他の要素を追加する

グラフにその他の要素を追加してみましょう。今回はグラフに「データラベル」を追加してみます。要素を追加するグラフをクリックして選択します。

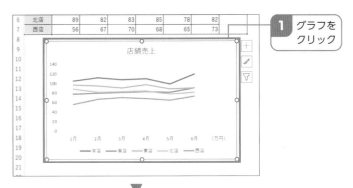

1 グラフをクリック

グラフのデザインタブのグラフのレイアウトグループのグラフ要素を追加をクリックします。

2 グラフ要素を追加をクリック

データラベルをクリックします。

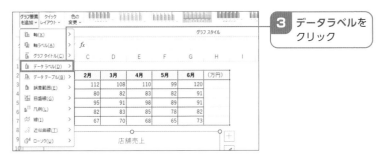

3 データラベルをクリック

データラベルを配置する位置を選択します。ここでは、上をクリックします。

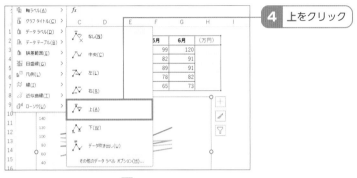

4 上をクリック

グラフにデータラベルが追加されます。

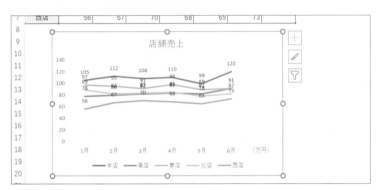

Hint

グラフに目盛線を追加する

グラフには目盛線を追加することもできます。グラフのデザインタブのグラフのレイアウトグループのグラフ要素を追加をクリックし、目盛線をクリックして選択しましょう。

	2月	3月	4月	5月	6月	(万円)
	112	108	110	99	120	
				82	91	
				89	91	
				78	82	
				65	73	

第 1 主横軸(H)

第 1 主縦軸(V)

第 1 補助横軸(Z)

グラフ スタイル

グラフの見た目を変更する

作成したグラフはサイズや色、スタイルを変更することができます。好みの色にして見やすくしたり、サイズを変更して表の隣に置いて印刷するなど、自由にグラフを変更しましょう。

グラフのサイズを変更する

グラフをクリックして選択し、**書式**タブの**サイズ**グループの「∧」や「∨」をクリックします。

```
コメント  共有 ∨
配置 ∨
グループ化
オブジェクトの選択と表示
配置
```

```
7.62 cm
12.7 cm
サイズ
```

> **1** 「∧」や「∨」をクリック

グラフのサイズが変更されます。他にも直接数値を入力してサイズを変更することもできます。

	1月	2月	3月	4月	5月	6月	(万円)
本店	105	112	108	110	99	120	
南店	78	80	82	83	82	91	
東店	97	95	91	98	89	91	
北店	89	82	83	85	78	82	
西店	56	67	70	68	65	73	

店舗売上

本店　南店　東店　北店　西店

▓▓▓ グラフの色を変更する

グラフをクリックして選択し、**グラフのデザイン**タブの**グラフスタイル**グループの**色の変更**をクリックします。

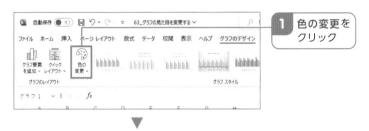

> **1** 色の変更を
> クリック

任意の色をクリックします。

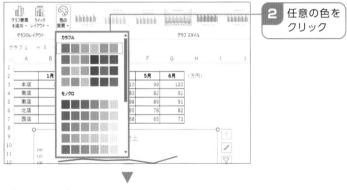

> **2** 任意の色を
> クリック

グラフの色が変更されます。

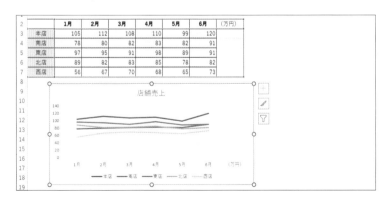

グラフのスタイルを変更する

グラフをクリックして選択します。

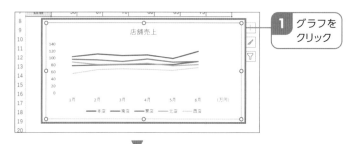

1 グラフを
クリック

▼

グラフのデザインタブの**グラフスタイル**グループの「▽」をクリックします。

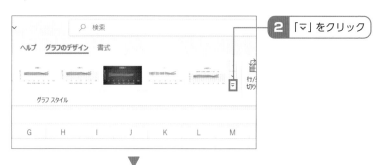

2 「▽」をクリック

▼

任意のスタイルをクリックすると、グラフのスタイルが変更されます。

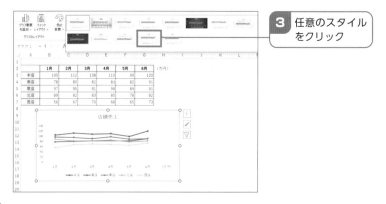

3 任意のスタイル
をクリック

グラフのレイアウトを変更する

グラフをクリックして選択します。

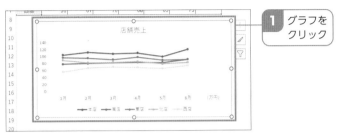

1 グラフをクリック

グラフのデザインタブの**グラフのレイアウト**グループの**クイックレイアウ
ト**をクリックします。

6

グ
ラ
フ
の
作
成

2 クイックレイアウトをクリック

任意のレイアウトをクリックすると、グラフのレイアウトが変更されま
す。

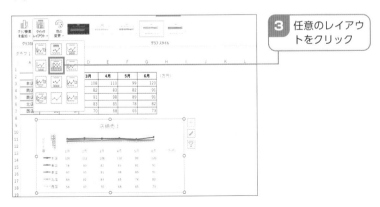

3 任意のレイアウトをクリック

Section

64 グラフの行と列を入れ替える

通常の場合、グラフは、表のデータに基づいて自動的に行と列を決定して作成されます。この行と列は後から入れ替えることができます。その方法を確認しましょう。

グラフの行と列を入れ替える

行と列を入れ替えたいグラフをクリックして選択します。

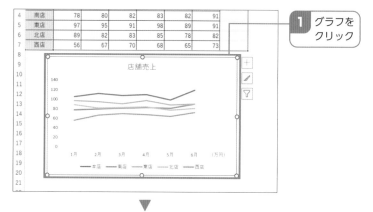

1 グラフをクリック

グラフのデザインタブをクリックします。

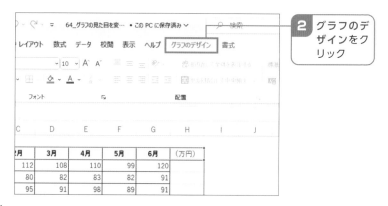

2 グラフのデザインをクリック

データグループの**行/列の切り替え**をクリックします。

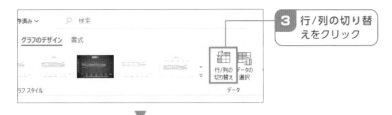

3 行/列の切り替えをクリック

グラフの行と列が入れ替わります。

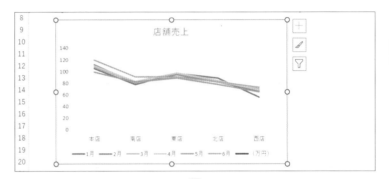

行/列の切り替えを再度クリックすると、元に戻ります。

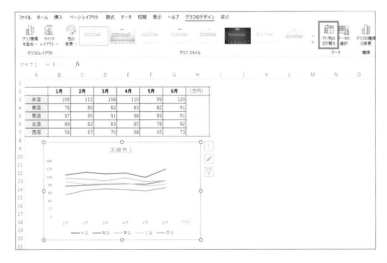

6

グラフの作成

185

Section

65

グラフの選択範囲を変更する

通常の場合、表全体のデータに基づいてグラフが作成されます。表の一部のデータのみでグラフを作成したい場合は、グラフの選択範囲を変更しましょう。

▦ グラフの選択範囲を変更する

選択範囲を変更するグラフをクリックして選択します。

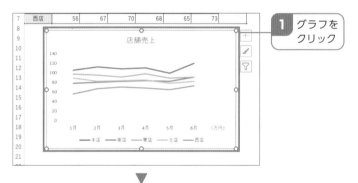

1 グラフをクリック

表の選択範囲を変更します。マウスカーソルを表の数値やデータの四隅に合わせると「↖」に変化します。

	1月	2月	3月	4月	5月	6月	(万円)
本店	105	112	108	110	99	120	
南店	78	80	82	83	82	91	
東店	97	95	91	98	89	91	
北店	89	82	83	85	78	82	
西店	56	67	70	68	65	73	

店舗売上

140

120

2 マウスカーソルを乗せる

その状態でドラッグをします。

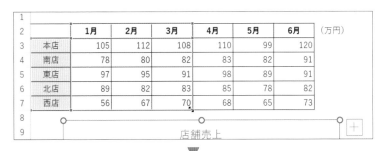

3 ドラッグ

▼

表上で選択範囲が変更されます。

	1月	2月	3月	4月	5月	6月	(万円)
本店	105	112	108	110	99	120	
南店	78	80	82	83	82	91	
東店	97	95	91	98	89	91	
北店	89	82	83	85	78	82	
西店	56	67	70	68	65	73	

店舗売上

▼

グラフにも変更された選択範囲が反映されます。

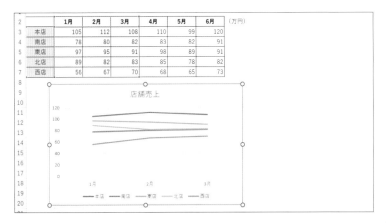

Section

66 種類を組み合わせて作成する

エクセルでは、1つの表から1つのグラフを作成するだけではなく、1つの表から2つのグラフを組み合わせて作ることもできます。「客数と売り上げ」「気温と降水量」などといったグラフが作れるのです。

種類を組み合わせて作成する

グラフを作成したい表の中のセルをクリックして選択します。表内であればどのセルでも構いません。

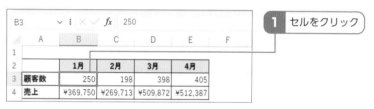

1 セルをクリック

挿入タブのグラフグループの「⤢」をクリックします。

2 「⤢」をクリック

すべてのグラフをクリックします。

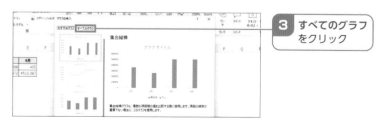

3 すべてのグラフをクリック

組み合わせをクリックします。

4 組み合わせを
クリック

▼

任意のグラフの種類をクリックします。

5 任意のグラフの
種類をクリック

▼

1つ目の系列名 (ここでは顧客数) の**第2軸**をクリックしてチェックを入れ、グラフの種類の「∨」をクリックします。

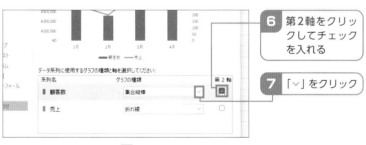

6 第2軸をクリッ
クしてチェック
を入れる

7 「∨」をクリック

▼

1つ目のグラフの種類 (ここでは**折れ線**のグラフ) をクリックします。

8 折れ線のグラフ
をクリック

2つ目の系列名（ここでは売上）のグラフの種類の「∨」をクリックします。

9 「∨」をクリック

2つ目のグラフの種類（ここでは縦棒のグラフ）をクリックします。

10 縦棒のグラフを
クリック

OKをクリックします。

11 OKをクリック

折れ線と縦棒を組み合わせたグラフが作成されます。

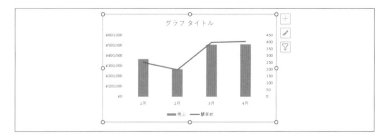

第 7 章

文章の入力

Section

67 入力した文字を変換する

文書を作成するにあたって、漢字やカタカナ、記号への変換は必ず行う操作です。文字の変換によって文書が見やすくなり、相手にも伝わりやすくなります。ここでは、入力した文字を漢字に変換する方法を紹介します。

⠿ 入力した文字を変換する

入力する位置にマウスカーソルを置き、漢字の読みを入力します。ここでは「あじさい」(AJISAI) と入力します。

1 「あじさい」(AJISAI) と入力

「あじさい」と入力されたら、キーボードの 変換 を押します。

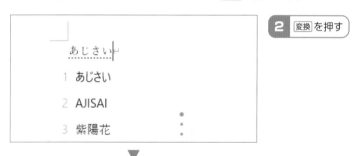

2 変換 を押す

入力した文字が変換されます。この段階で変換された文字で確定したい場合は、Enter を押します。入力したい文字でない場合は、もう一度 変換 を押します。

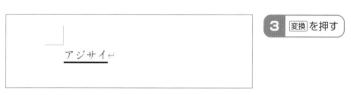

3 変換 を押す

変換候補が一覧表示されます。[↑] または [↓] を押して変換候補を選択し、[Enter] を押します。このとき、一覧に表示された変換候補をマウスでクリックすることでも確定できます。

4 [↑] または [↓] を押して選択

5 [Enter] を押す

文字の下の太線が消え、変換が確定します。

変換が確定します。

Hint テーブルビューで変換候補を見る

変換候補を表示しているときにキーボードの [Tab] を押すと、テーブルビューに切り替わり、より多くの変換候補を一覧表示できます。

紫陽花	
1 あじさい	按司さい
2 紫陽花	阿字さい
3 アジサイ	阿踏さい
4 アジさい	
5 味さい	

文節 / 文章単位で変換する

長い文章を入力する場合は、文節ごとに入力して変換する方法と、文章を
すべて入力した後に変換する方法があります。どちらも正しい変換ができ
るため、自分が入力しやすいと思う方法を選択しましょう。

文節単位で変換する

ここでは「手紙を送る。」と入力します。まずは、「**てがみを**」（TEGAMI
WO）と入力します。

> **1** 「手紙を」
> （TEGAMIWO）
> と入力

▼

「てがみを」と入力されたら、キーボードの変換を押します。

> **2** 変換を押す

▼

「手紙を」と変換されるので、Enterを押して変換を確定します。入力し
たい文字でなかった場合は、もう一度変換を押します。

> **3** Enterを押す

次に、「**おくる**。」(OKURU。) と入力します。

4 「おくる。」
(OKURU。)
と入力

▼

「おくる。」と入力されたら、キーボードの[変換]を押します。

5 [変換]を押す

▼

「送る。」と変換されるので、[Enter]を押して変換を確定します。

6 [Enter]を押す

Hint

一度入力した文章を簡単に入力する

一度入力した文章は、文章の入力中に予測変換として変換候補のいちばん上に表示されることがあります。[変換]を押して選択し、[Enter]を押して確定しましょう。

文章単位で変換する

ここでは「私は薬学を専攻しています。」と入力します。まずは、文章 (**わたしはやくがくをせんこうしています**。) を入力します。

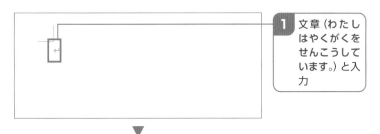

1 文章 (わたしはやくがくをせんこうしています。) と入力

「わたしはやくがくをせんこうしています。」と入力されたら、キーボードの変換を押します。

2 変換を押す

入力した文章が一括で変換されます。変換を確定する場合はEnterを押します。ここでは、「専攻して」の変換が意図しているものとは違うため編集します。→または←を押して、文字の下に表示されている太い下線を変換し直したい文節まで移動します。

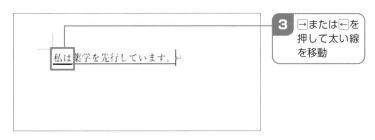

3 →または←を押して太い線を移動

「先行して」の下まで太い下線が移動したら、キーボードの変換を押します。

4 変換を押す

私は薬学を先行しています。↵

変換候補が一覧表示されます。↑または↓を押して変換候補を選択し、Enterを押します。このとき、表示された変換候補を直接クリックすることでも確定できます。

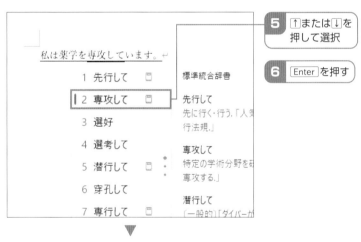

5 ↑または↓を押して選択

6 Enterを押す

私は薬学を専攻しています。↵

1 先行して		標準統合辞書
2 専攻して		先行して
3 選好		先に行く・行う.「人ま 行法規.」
4 選考して		専攻して
5 潜行して		特定の学術分野を研 専攻する.」
6 穿孔して		潜行して
7 専行して		〔一般的〕「ダイバーが

文字の下の太線が消え、変換が確定します。

私は薬学を専攻しています。↵

変換が確定します。

記号や絵文字を入力する

メールアドレスの「@」や文章の飾りとして入れる「★」や「≒」など、記号や絵文字を使う場面は少なくありません。ここでは、記号や絵文字を入力する方法について確認しましょう。

⠿ 記号を入力する

ここでは「@」と入力します。入力する位置にマウスカーソルを置き、キーボードの「@」と書かれているキーを押します。

1	マウスカーソルを置く
2	キーボードの「@」を押す

「@」と入力されたら、Enter を押して入力を確定します。

3	Enter を押す

Hint

変換して記号を入力する

「ほし」や「パーセント」など、名称によって記号を入力することができます。「@」の場合は、「あっと」と入力した後に変換することで、文書への入力が可能です。

あっと
1 あっと
2 アット
3 アッと
4 @ ≒

⠿ 絵文字を入力する

入力する位置にマウスカーソルを置き、入力したい絵文字の名称を入力します。ここでは「**けーき**」と入力し、キーボードの変換を押します。

1 「けーき」と入力

2 変換を押す

▼

「ケーキ」と変換されます。もう一度、変換を押します。

3 変換を押す

▼

変換候補が一覧表示されます。↑または↓を押して絵文字を選択し、Enterを押します。このとき、一覧に表示された絵文字をマウスでクリックすることでも確定できます。また、「**きごう**」と入力して変換すれば、その他の記号も入力することができます。

4 ↑または↓を押して選択

5 Enterを押す

練習用ファイル　70_半角文字を入力する.docx

半角文字を入力する

半角のアルファベットや数字を入力したいときは、入力モードを「半角英数字」に切り替えましょう。一般的な英単語であれば、読みを日本語で入力してから変換する方法でもアルファベットを入力できます。

▦ 半角文字を入力する

ここでは半角のアルファベットを入力します。画面右下のWindowsのタスクバーの入力モードのアイコンをクリックするか、キーボードの半角/全角を押して、入力モードを「A」(半角英数字モード)に切り替えます。

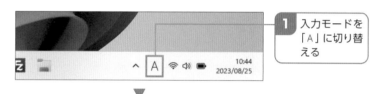

> **1** 入力モードを「A」に切り替える

入力する位置にマウスカーソルを置き、アルファベットが書かれているキーボードを押します。ここでは、「WORD」と入力します。

> **2** マウスカーソルを置く

> **3** 「WORD」と入力

小文字で「word」と入力されます。

> 小文字のアルファベットが入力されます。

word↵

大文字のアルファベットを入力する

次に大文字のアルファベットを入力します。キーボードの Shift を押しな
がら、アルファベットが書かれているキーボードを押します。ここでは、
「EARTH」と入力します。

> **4** Shift を押し
> ながら、「EA
> RTH」と入力

大文字で「EARTH」と入力されます。

大文字のアルファベットが入力されます。

 Hint

変換して半角のアルファベットを入力する

「わーく」や「きゃっと」など、一般
的な英単語であれば、英単語の読
みを使ってアルファベットを入力
できます。「word」の場合は、
「わーど」と入力した後に変換する
ことで、文書への入力が可能です。

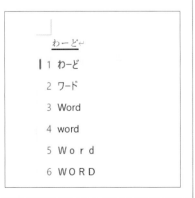

Section

71 読めない漢字を入力する

読み方がわからない漢字を入力したいときは、「IMEパッド」を活用しましょう。IMEパッドとは文字の入力をサポートするアプリケーションで、手書きや画数、部首などから漢字を特定することができます。

読めない漢字を入力する

画面右下のWindowsのタスクバーの入力モードのアイコン（ここでは「あ」（ひらがなモード））を右クリックします。

1 「あ」を右クリック

メニューが表示されたら、**IMEパッド**をクリックします。

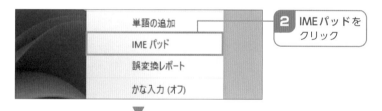

2 IMEパッドをクリック

IMEパッドが表示されます。**ここにマウスで文字を描いてください。**欄に、マウスを使って入力したい文字を描きます。

3 文字を描く

描いた部分に応じて、右側に候補が表示されます。**戻す**をクリックすると直前に描いた部分を取り消します。**消去**をクリックすると描いた文字がすべて消されます。文字を描き進めます。

4 文字を描く

画面右側に入力したい文字が表示されたら、マウスカーソルを合わせます。

5 マウスカーソルを合わせる

音読みがカタカナで、訓読みがひらがなで表示されます。入力したい場合はクリックします。

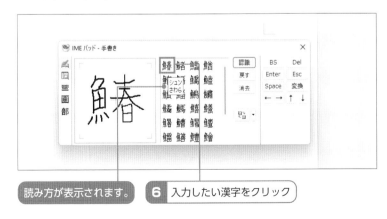

読み方が表示されます。 6 入力したい漢字をクリック

文字が入力されます。IMEパッドで入力を続ける場合は、再度「ここにマウスで文字を描いてください。」欄に入力したい文字を描きます。

文字が入力されます。

Hint

総画数や部首から読めない漢字を入力する

入力したい漢字の総画数や部首がわかっている場合は、「画」❶または「部」❷をクリックしてみましょう。総画数や部首を入力し一覧表示された漢字から任意の漢字をクリックすることで文字を入力できます。マウスで文字を描くのが難しいときなどに利用されます。

第 8 章

書類の作成と設定

練習用ファイル　72_用紙のサイズや向きを設定する.docx

用紙のサイズや向きを設定する

初期設定のまま新規の文書を作成すると、サイズは「A4」、印刷の向きは「縦」に設定されています。用紙のサイズや印刷の向きは、後から自由に変更することができます。

▦ 用紙のサイズを設定する

レイアウトタブの**ページ設定**グループの**サイズ**をクリックします。

1 サイズをクリック

▼

用紙のサイズの一覧が表示されます。設定したいサイズが表示されている場合は、クリックすることでサイズが変更されます。ここでは、**その他の用紙サイズ**をクリックします。

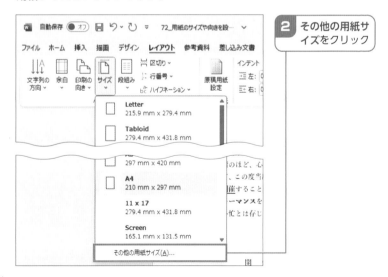

2 その他の用紙サイズをクリック

ページ設定メニューが表示されたら、現在設定されている**用紙サイズ**(こ
こでは**A4**)をクリックします。

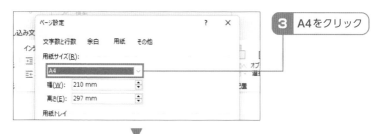

3 A4をクリック

用紙のサイズの一覧が表示されます。設定するサイズをクリックして選択
し、**OK**をクリックすると用紙のサイズが変更されます。

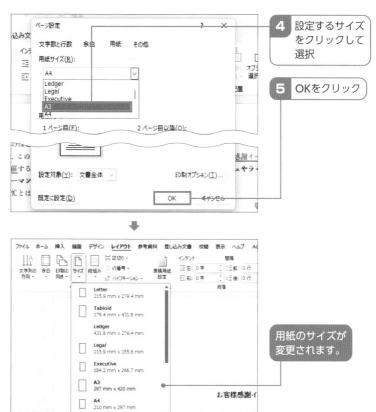

4 設定するサイズ
をクリックして
選択

5 OKをクリック

用紙のサイズが
変更されます。

:::: 用紙の向きを設定する

初期設定では、用紙の向きは「縦」に設定されています。

レイアウトタブのページ設定グループの印刷の向きをクリックします。

1 印刷の向きを
クリック

設定したい用紙の向き（ここでは横）をクリックします。

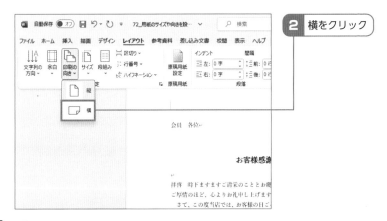

2 横をクリック

用紙の向きが変更されます。

用紙の向きが変更されます。

 Hint

[印刷] メニューから用紙の向きを変更する

用紙の向きは [印刷] メニューから変更することもできます。文書作成画面でファイルタブをクリックし、印刷をクリックして印刷メニューを表示します。横方向（または縦方向）をクリックし、任意の向きをクリックして選択します。詳しくは42ページを参照してください。

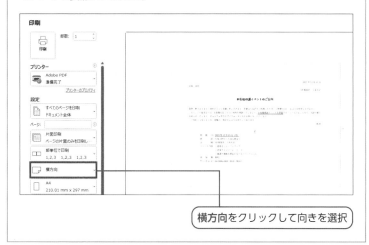

横方向をクリックして向きを選択

Section

73 1行の文字数を設定する

初期設定では文書の1行あたりの文字数は指定されていませんが、「ページ設定」によって任意の文字数に設定することが可能です。文書が読みやすくなるように、文字数を設定しましょう。

::: 1行の文字数を設定する

レイアウトタブのページ設定グループの「ᴦ」をクリックします。

1 「ᴦ」をクリック

▼

ページ設定メニューが表示されたら、**文字数と行数を指定する**をクリックします。

2 文字数と行数を指定するをクリック

文字数欄に設定したい文字数（ここでは**30**）を入力します。

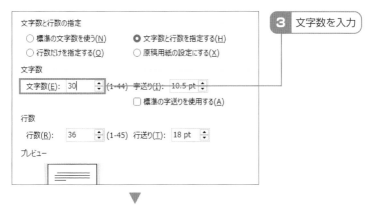

3 文字数を入力

OK をクリックします。

4 OK をクリック

1行の文字数が調整されます。

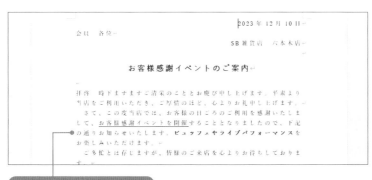

1行の文字数が調整されます。

Section

74 縦書きの文書を作成する

ワードでは横書きだけでなく縦書きの文書も作成できます。[文字列の方向]から[縦書き]をクリックして選択することで設定の変更が可能です。原稿や案内状などを作成するときに利用しましょう。

縦書きの文書を作成する

レイアウトタブの**ページ設定**グループの**文字列の方向**をクリックします。

1 文字列の方向をクリック

▼

方向の一覧が表示されます。**縦書き**をクリックすることで縦書きに変更できます。ここでは、**縦書きと横書きのオプション**をクリックします。

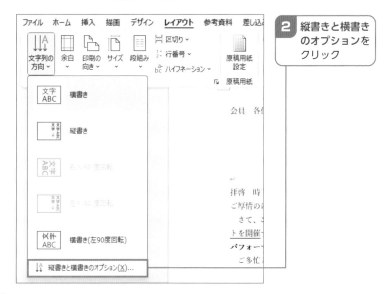

2 縦書きと横書きのオプションをクリック

縦書きと横書きメニューが表示されます。**文字の向き**から**縦書き**をクリックして選択します。

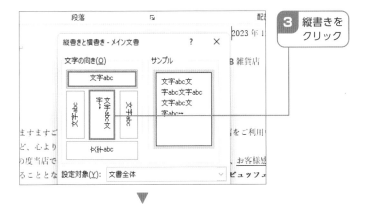

3 縦書きを
クリック

OK をクリックします。

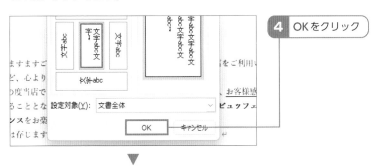

4 OK をクリック

縦書きの文書になります。

縦書きになります。

練習用ファイル 75_文字の書体や大きさを設定する.docx

文字の書体や大きさを設定する

初期設定のまま新規の文書を作成すると、書体は「游明朝」、サイズは「10.5」に設定されます。これらの設定は後から自由に変更することができます。1つの文書に複数の書体やサイズを設定することも可能です。

文字の書体を設定する

書体を変更する文字をドラッグして選択します。

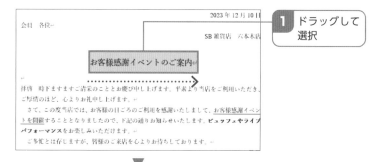

1 ドラッグして選択

ホームタブの**フォント**グループの書体名の右側にある「∨」をクリックします。

2 「∨」をクリック

選択可能な書体が一覧で表示されたら、変更したい書体（ここでは**BIZ UDP ゴシック**）をクリックします。

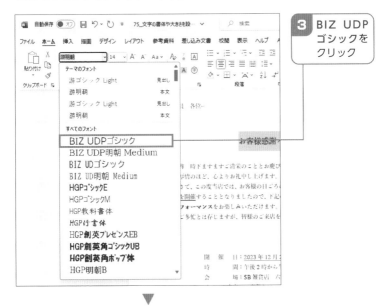

3 BIZ UDP ゴシックをクリック

選択した書体に変更されます。

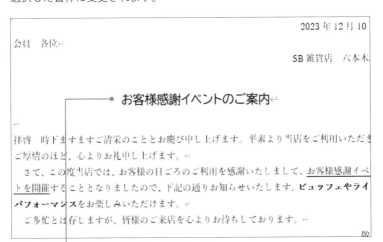

書体が変更されます。

⠿ 文字の大きさを設定する

大きさを変更する文字をドラッグして選択します。

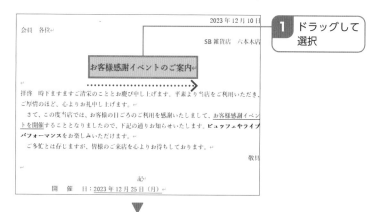

ホームタブのフォントグループの文字サイズの右側にある「⌄」をクリックします。

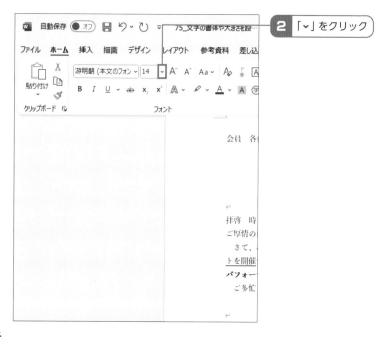

文字のサイズが一覧で表示されます。設定したい大きさ（ここでは16）を
クリックします。

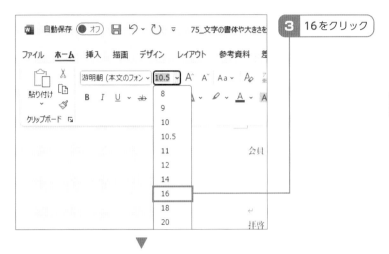

選択した文字サイズに変更されます。

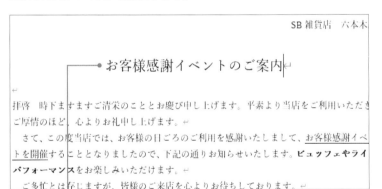

文字のサイズが変更されます。

8

書類の作成と設定

Hint　文字サイズを数値で指定する

ホームタブのフォントグループの文字サイズ欄に数値を直接入力することでも、
文字サイズを指定することができます。

Section

76

文字に飾りを付ける

任意の文字に太字や斜体、下線などの飾りを付けることができます。メリハリのきいた文書にしたいときに活用しましょう。同じ文字に複数の飾りを適用することも可能です。

文字を太くする

太字にする文字をドラッグして選択します。

1 ドラッグして選択

ホームタブの**フォント**グループの「**B**」をクリックします。

2 「**B**」をクリック

選択した文字が太字になります。

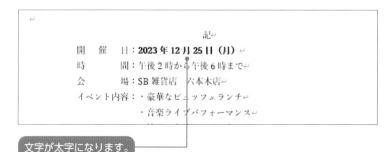

文字が太字になります。

218

文字を斜体にする

斜体にする文字をドラッグして選択します。

1 ドラッグして選択

ホームタブの**フォント**グループの「*I*」をクリックします。

2 「*I*」をクリック

選択した文字が斜体になります。

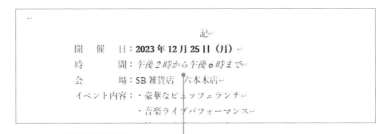

文字が斜体になります。

Hint

文字の飾りを解除する

飾りが付いた文字を選択し、ホームタブのフォントグループの設定された飾りと同じアイコンをクリックすることで、文字の飾りを解除することができます。

::: 下線を付ける

下線を付ける文字をドラッグして選択します。

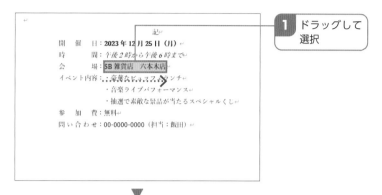

ホームタブのフォントグループの「U」をクリックします。

選択した文字に下線が付きます。

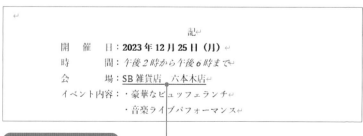

文字に下線が付きます。

⠿ その他の飾り

記↵
開　催　日：2023 年 12 月 25 日（月）↵
時　　間：午後 2 時から午後 6 時まで↵
　　　場：SB 雑貨店　六本木店↵
イベント内容：・豪華なビュッフェランチ↵
　　　　　　・音楽ライブパフォーマンス↵
　　　　　　・抽選で素敵な景品が当たるスペシャ
参　加　費：無料↵
問い合わせ：00-0000-0000（担当：飯田）↵

文字に「取り消し線」を引くことができます。任意の文字をドラッグして選択し、**ホーム**タブの**フォント**グループにある「ꭗ」をクリックします。

：SB 雑貨店　六本木店↵
：・豪華なビュッフェランチ↵
　・音楽ライブパフォーマンス↵
　　参加バンド「$C_{10}H_{16}N_5O_{13}P_3$」↵
　・抽選で素敵な景品が当たるスペシャルくじ↵
　・みんなで遊べるプール（約 540m^3）↵
：無料↵
：00-0000-0000（担当：飯田）↵

化学式や数式に利用される「下付き文字」、「上付き文字」を付けることができます。任意の文字をドラッグして選択し、下付きの場合は**ホーム**タブの**フォント**グループにある「x_2」を、上付きの場合は「x^2」をクリックします。

記↵
開　催　日：2023 年 12 月 25 日（月）↵
時　　間：午後 2 時から午後 6 時まで↵
　　　場：SB 雑貨店　六本木店↵
イベント内容：・豪華なビュッフェランチ↵
　　　　　　・音楽ライブパフォーマンス↵
　　　　　　参加バンド「$C_{10}H_{16}N_5O_{13}P_3$」↵
　　　　　　・抽選で素敵な景品が当たるスペシャ
　　　　　　・みんなで遊べるプール（約 540m^3）

文字に「囲み線」を付けることができます。任意の文字をドラッグして選択し、**ホーム**タブの**フォント**グループにある「Ⓐ」をクリックします。

Section

77

文字の色を変更する

文字の色を任意に変更することが可能です。さまざまな色が用意されているので、強調したいところだけに色を付けたり、複数の文字をカラフルに色付けしたりすることができます。

▓ 文字の色を変更する

色を変更する文字をドラッグして選択します。

1 ドラッグして選択

ホームタブの**フォント**グループの「A」の右側にある「⌄」をクリックします。

2 「⌄」をクリック

設定する色 (ここでは「■」) をクリックします。

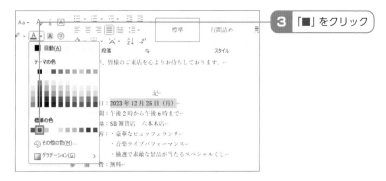

3 「■」をクリック

選択した文字の色が変更されます。

記

|開　催　日：2023 年 12 月 25 日（月）

|時　　　間：午後 2 時から午後 6 時まで

|会　　　場：SB 雑貨店　六本木店

|イベント内容：・豪華なビュッフェランチ

|　　　　　　　・音楽ライブパフォーマンス

|　　　　　　　・抽選で素敵な景品が当たるスペシャルくじ

|参　加　費：無料

|問い合わせ：00-0000-0000（担当：飯田）

文字の色が変更されます。

Hint

文字にマーカーを付ける

文字に蛍光ペンの色を付けることも可能です。任意の文字をドラッグして選択し、ホームタブのフォントグループにある「✐」をクリックします。

「✐」をクリック

開　催　日：2023 年 12 月 25 日（月）

時　　　間：午後 2 時から午後 6 時まで

会　　　場：SB 雑貨店　六本木店

イベント内容：・豪華なビュッフェランチ

　　　　　　　・音楽ライブパフォーマンス

　　　　　　　・抽選で素敵な景品が当たるスペシャルくじ

参　加　費：無料

78

フリガナを表示する

文書内の文字にはフリガナを表示させることができます。漢字の他には、アルファベットにもフリガナを振ることが可能です。なお、ワードではフリガナのことを「ルビ」と呼んでいます。

⠿ フリガナを表示する

フリガナを振る文字をドラッグして選択します。

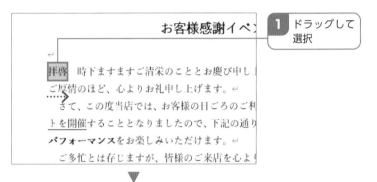

> **1** ドラッグして選択

ホームタブの**フォント**グループの「⠿」をクリックします。

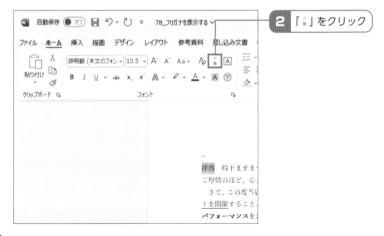

> **2** 「⠿」をクリック

ルビメニューが表示されます。**ルビ**の読みが正しいか確認し、間違っている場合は正しい読みを入力します。

3 読みが正しいか確認

OKをクリックします。

4 OKをクリック

選択した文字にフリガナが振られます。

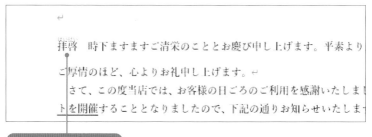

フリガナが振られます。

225

文字の間隔を調整する

文字と文字の間を狭くしたり、広くしたりしたいときは、文字間隔の設定を変更しましょう。1行に収めたいので文字間隔を狭くする、文書のタイトルや見出しの文字間隔を広くして強調するといった用途で使用されます。

文字の間隔を調整する

間隔を調整する文字をドラッグして選択します。

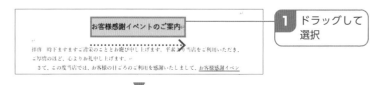

1 ドラッグして選択

ホームタブの**フォント**グループの「⎘」をクリックします。

2 「⎘」をクリック

フォントメニューが表示されます。**詳細設定**をクリックし、現在選択している**文字間隔**（ここでは**標準**）をクリックします。

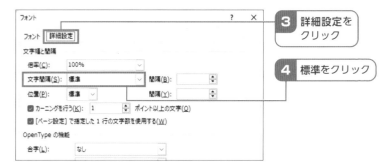

3 詳細設定をクリック

4 標準をクリック

間隔に数値 (ここでは7) を入力します。

5 数値を入力

OK をクリックします。

6 OK をクリック

文字間隔が調整されます。

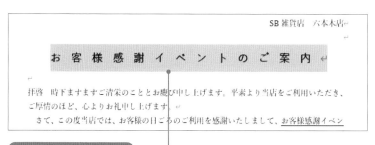

文字間隔が調整されます。

227

Section

80 行の間隔を調整する

文字の間隔だけでなく、行の間隔も調整することが可能です。たとえば、文書が2ページ目にあふれる場合でも、行の間隔を調整することで文字を削除せずに1ページに収められます。

行の間隔を調整する

間隔を調整する行をドラッグして選択します。

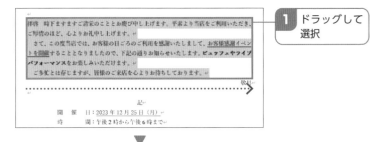

1 ドラッグして選択

ホームタブの段落グループの「≡」をクリックします。

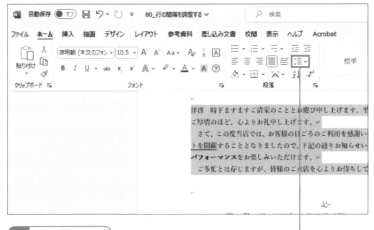

2 「≡」をクリック

行の間隔（ここでは **2.0**）をクリックします。

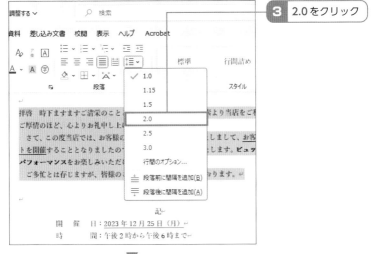

3 2.0をクリック

選択した行の間隔が調整されます。

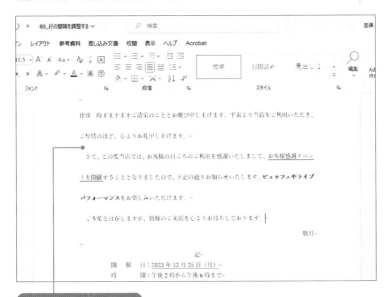

行の間隔が調整されます。

229

81 文字を均等に割り付ける

文字の均等割り付けとは、文字を特定の文字幅に調整する機能です。箇条
書きにしたい項目があった際に、各項目の横幅を同じに揃えると見やすい
文書になります。

⠿ 文字を均等に割り付ける

均等に割り付ける文字をドラッグして選択します。

1 ドラッグして選択

▼

ホームタブの**段落**グループの「≣」をクリックします。

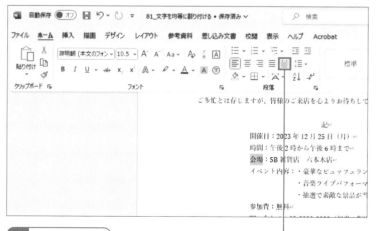

2 「≣」をクリック

文字の均等割り付けメニューが表示されます。

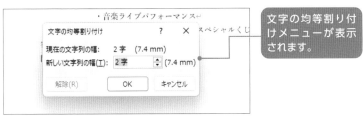

文字の均等割り付けメニューが表示されます。

▼

新しい文字列の幅に文字数 (ここでは6) を入力し、**OK**をクリックします。

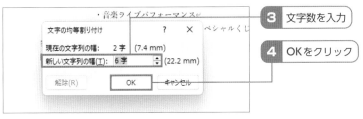

3 文字数を入力

4 OKをクリック

▼

指定した幅に合わせて、文字が均等に割り付けられます。

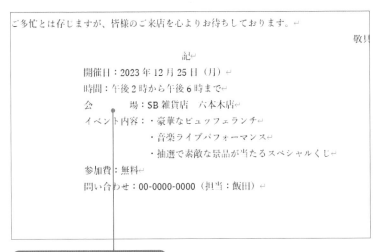

文字が均等に割り付けられます。

文字を右や左に揃える

日付の位置を右に揃えたり、見出しを中央に揃えたりと、文字を任意の位置に揃えることができます。揃えたい行にマウスカーソルを置いてアイコンをクリックするだけなのでお手軽です。

文字を右や左に揃える

右に揃える行をクリックしてマウスカーソルを置きます。

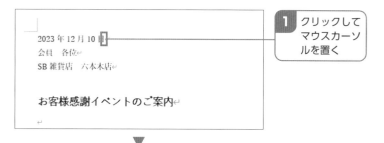

1 クリックしてマウスカーソルを置く

ホームタブの**段落**グループの「≡」をクリックすると、選択した行が右揃えになります。「≡」をクリックすると左揃えになります。

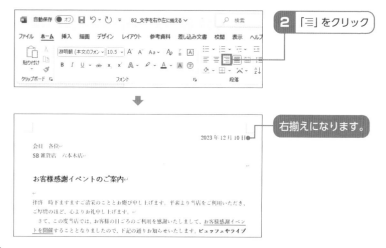

2 「≡」をクリック

右揃えになります。

::::: 文字を中央に揃える

中央に揃える行をクリックしてマウスカーソルを置きます。

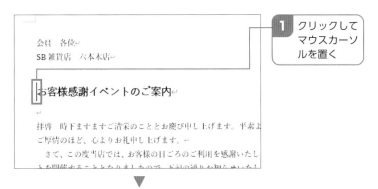

1 クリックして
マウスカーソ
ルを置く

ホームタブの**段落**グループの「≡」をクリックすると、選択した行が中央
揃えになります。

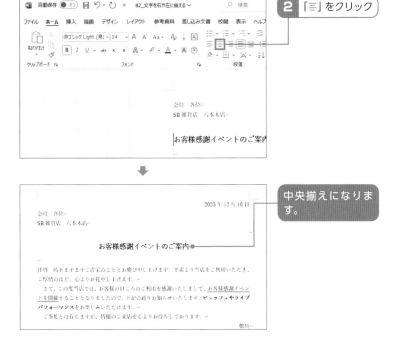

2 「≡」をクリック

中央揃えになりま
す。

箇条書きを設定する

段落の先頭に記号を付けることで、箇条書きの文書を作成することができます。箇条書きの設定には、書きながら記号を自動で付ける方法と、すでに作成した文章を箇条書きにする方法があります。

箇条書きを作成する

箇条書きの文頭に記号（ここでは「●」）を入力し、キーボードの Space を押します。

> **1** 「●」を入力し、Space を押す

「⏎」が表示されます。箇条書きの1行目の文字を入力し、Enter を押します。

> **2** 1行目の文字を入力し、Enter を押す

自動的に箇条書きが設定され、2行目の行頭に記号が表示されます。同じ方法で2行目以降も入力していきます。

> **3** 2行目を入力

● 開催日：2023 年 12 月 25 日（月）

::::: すでに作成した文書に箇条書きを設定する

箇条書きを設定する箇所をドラッグして選択します。

1 ドラッグして選択

ホームタブの**段落**グループの「三」をクリックします。

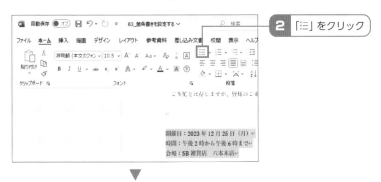

2 「三」をクリック

選択した箇所に箇条書きが設定されます。

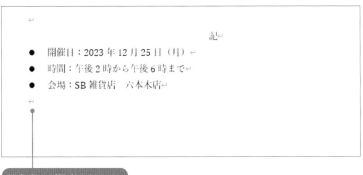

箇条書きが設定されます。

段落番号を設定する

段落に対して1つずつ番号を振る設定を「段落番号」といいます。箇条書きよりも順番が明確になるので、式典のプログラムや優先順位を付けたいリストなどに活用するとよいでしょう。

⠿ 段落番号を作成する

文頭に段落番号 (ここでは「①」) を入力し、キーボードの Enter を押します。

1 「①」を入力し、 Enter を押す

▼

「⚐」が表示されます。1行目の文字を入力し、 Enter を押します。

2 1行目の文字を入力し、 Enter を押す

▼

自動的に段落番号が設定され、2行目の行頭に番号が表示されます。同じ方法で2行目以降も入力していきます。

3 2行目を入力

::: すでに作成した文書に段落番号を設定する

段落番号を設定する箇所をドラッグして選択します。

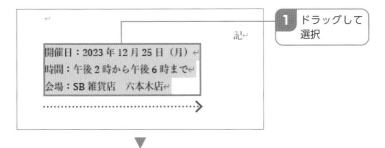

1 ドラッグして選択

ホームタブの**段落**グループの「≣」をクリックします。

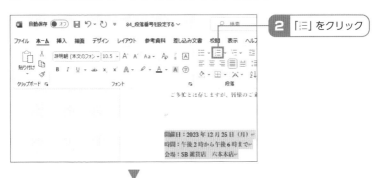

2 「≣」をクリック

選択した箇所に段落番号が設定されます。

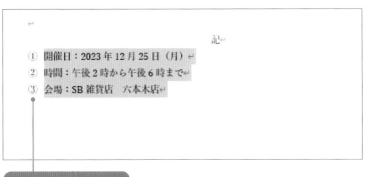

段落番号が設定されます。

練習用ファイル 85_自動で箇条書きなどにしないように設定する.docx

自動で箇条書きなどにしないように設定する

行頭に●や①を入力すると、自動で箇条書きや段落番号に設定されてしまいます。意図していない場合は、[オートコレクト] メニューを表示して設定を解除しましょう。

::: 自動で箇条書きなどにしないように設定する

ここでは、箇条書きの文頭に記号 (●) を入力し、キーボードの Space を押します。

1 「●」を入力し、Space を押す

▼

「�」が表示されたら、クリックします。

2 「�」をクリック

▼

オートフォーマットオプションの設定をクリックします。

3 オートフォーマットオプションの設定をクリック

オートコレクトメニューが表示されたら、**箇条書き（行頭文字）**をクリックしてチェックを外します。

4 箇条書き（行頭文字）をクリックしてチェックを外す

▼

OKをクリックします。

5 OKをクリック

▼

「●」を入力しても箇条書きが自動で設定されないようになります。

自動で箇条書きが設定されないようになりました。

字下げを設定する

「字下げ」とは行頭に空白を作ることで、段落の始まりであることを表すものです。作文や文書などでよく用いられますが、ワードでも字下げを設定することができます。

字下げを設定する

字下げを設定する箇所をドラッグして選択します。

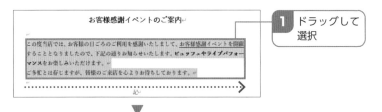

お客様感謝イベントのご案内

この度当店では、お客様の日ごろのご利用を感謝いたしまして、お客様感謝イベントを開催することとなりましたので、下記の通りお知らせいたします。ビュッフェやライブパフォーマンスをお楽しみいただけます。
ご多忙とは存じますが、皆様のご来店を心よりお待ちもしております。

記

1 ドラッグして選択

ホームタブの段落グループの「⑤」をクリックします。

2 「⑤」をクリック

段落メニューが表示されたら、最初の行の (なし) をクリックします。

3 (なし)をクリック

字下げをクリックして選択します。

字下げの幅を確認し、問題がなければ **OK** をクリックします。

選択した箇所に字下げが設定されます。

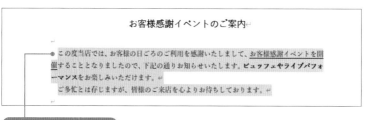

字下げが設定されます。

罫線や網掛けを設定する

文書を区切りたいときや切り取り線を付けたいときは「罫線」が、特定の文字や見出しを目立たせたいときは「網掛け」が便利です。どちらも1回のクリックで簡単に設定できます。

罫線を設定する

罫線を設定する文字をドラッグして選択します。

> **1** ドラッグして選択

ホームタブの**段落**グループの「⊞」をクリックします。

> **2** 「⊞」をクリック

選択した文字に罫線が設定されます。

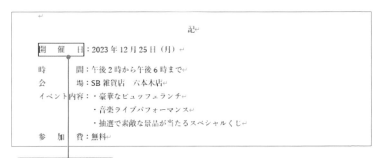

> 罫線が設定されます。

⠿ 網掛けを設定する

網掛けを設定する文字をドラッグして選択します。

1 ドラッグして選択

ホームタブの**フォント**グループの「 A 」をクリックします。

2 「 A 」をクリック

選択した文字に網掛けが設定されます。

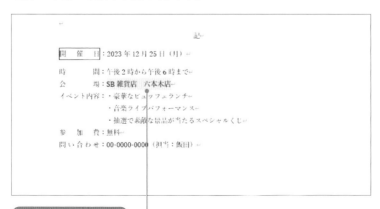

網掛けが設定されます。

88 段組みを設定する

「段組み」とは、文章を途中で折り返して2段や3段にしたレイアウトのことをいいます。1行あたりの長さが短くなるため、読みやすい文書になります。ワードでは[レイアウト]タブから設定ができます。

段組みを設定する

段組みを設定する箇所をドラッグして選択します。

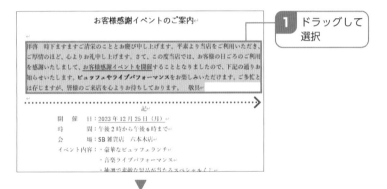

1 ドラッグして選択

レイアウトタブのページ設定グループの段組みをクリックします。

2 段組みをクリック

段組みが一覧で表示されます。設定したい段組み（ここでは**2段**）をクリックします。

3 2段をクリック

選択した箇所に段組みが設定されます。

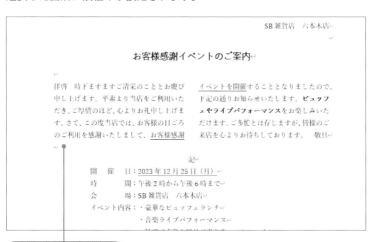

段組みが設定されます。

脚注を挿入する

文書の内容を補足したいときや難しい言葉を説明したいときは「脚注」を活用しましょう。任意の文字に脚注を付けると、そのページの下部に説明を表示させることができます。

脚注を挿入する

脚注を挿入する文字をドラッグして選択します。

1 ドラッグして選択

▼

参考資料タブの**脚注**グループの**脚注の挿入**をクリックします。

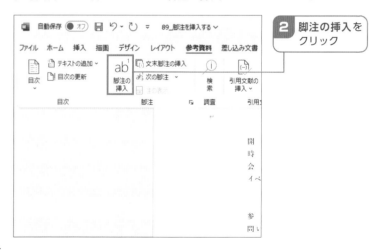

2 脚注の挿入をクリック

ページの下部に脚注が表示されたら、脚注の内容を入力します。

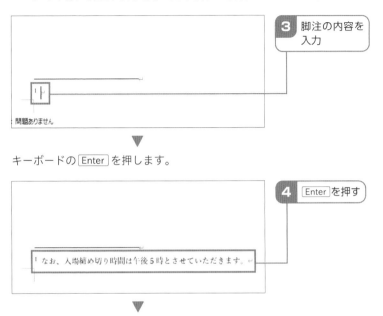

3 脚注の内容を入力

▼

キーボードの Enter を押します。

4 Enter を押す

▼

選択した文字に脚注が挿入されます。

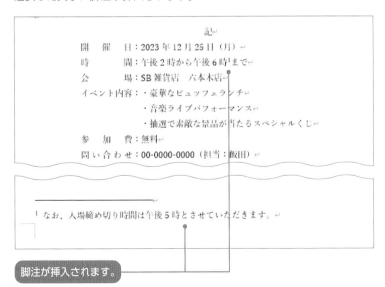

脚注が挿入されます。

Section

90

ヘッダー/フッターを挿入する

文書の上の余白部分を「ヘッダー」、下の余白部分を「フッター」といいます。ヘッダーには文書のタイトルや日付を、フッターには文書のページ番号などを入れることができます。会議資料など、紙に印刷する場合に役立ちます。

ヘッダーを挿入する

挿入タブの**ヘッダーとフッター**グループの**ヘッダー**をクリックします。

1 ヘッダーをクリック

▼

ヘッダーのスタイルの一覧が表示されます。ここでは、**空白**をクリックします。

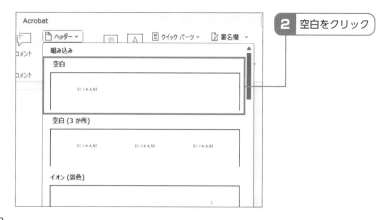

2 空白をクリック

文書にヘッダーが追加されたら、[**ここに入力**] にヘッダーに追加したい
文字を入力します。

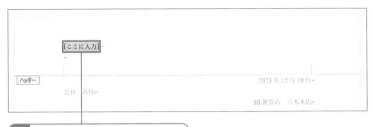

3 ヘッダーに追加したい文字を入力

ヘッダーに文字を追加したら、**ヘッダーとフッターを閉じる**をクリックし
ます。

4 ヘッダーとフッ
ターを閉じるを
クリック

文書作成画面に戻り、ヘッダーが追加されていることが確認できます。

ヘッダーが追加されます。

::: フッターを挿入する

挿入タブの**ヘッダーとフッター**グループの**フッター**をクリックします。

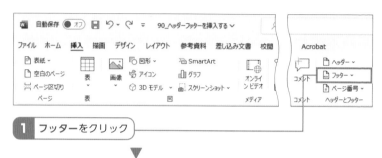

1 フッターをクリック

▼

フッターのスタイルの一覧が表示されます。ここでは、**空白**をクリックします。

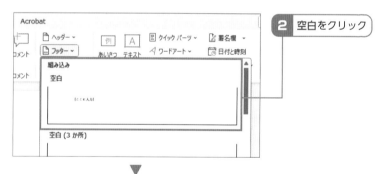

2 空白をクリック

▼

[**ここに入力**] にフッターに追加したい文字を入力し、**ヘッダーとフッターを閉じる**をクリックします。

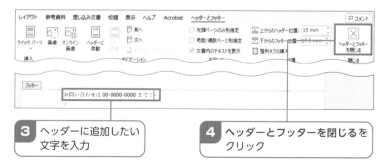

3 ヘッダーに追加したい文字を入力

4 ヘッダーとフッターを閉じるをクリック

第 **9** 章

文書の編集

Section

91

編集する文字を選択する

文書の編集に欠かせない操作が、文字の選択です。選択することで、特定の文字だけを変換したり、多くの文字を一括で削除したりすることができます。ここでは、2つの方法を紹介します。

編集する文字を選択する

編集する文字の左側をクリックしてマウスカーソルを置きます。

1 編集する文字の左側をクリック

キーボードの Shift を押しながら、選択したい文字数分だけ → を押します。

2 文字数分だけ → を押す

文字が選択された状態になります。

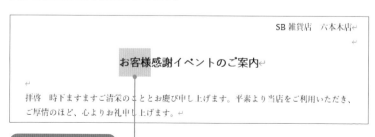

文字が選択されます。

⠿ ドラッグして文字を選択する

編集する文字の左側までマウスカーソルを移動します。

1 編集する文字の左側までマウスカーソルを移動

任意の位置までドラッグします。

2 任意の位置までドラッグ

文字が選択された状態になります。

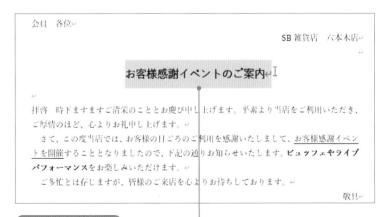

会員 各位↵

SB 雑貨店 六本木店↵

お客様感謝イベントのご案内↵

↵

拝啓 時下ますますご清栄のこととお慶び申し上げます。平素より当店をご利用いただき、ご厚情のほど、心よりお礼申し上げます。↵

さて、この度当店では、お客様の日ごろのご利用を感謝いたしまして、<u>お客様感謝イベントを開催する</u>こととなりましたので、下記の通りお知らせいたします。**ビュッフェやライブパフォーマンス**をお楽しみいただけます。↵

ご多忙とは存じますが、皆様のご来店を心よりお待ちしております。↵

敬具↵

文字が選択されます。

92 文字を挿入/上書きする

パソコンでの入力は、入力するとマウスカーソルの位置から文字が追加される「挿入モード」と、文字を上書きする「上書きモード」の2種類があります。

文字を挿入する

文字を挿入する位置をクリックします。

1 文字を挿入する位置をクリック

マウスカーソルが置かれるので、挿入したい文字を入力します。

2 文字を入力

文字が挿入されます。

会員 各位

SB 雑貨店　六本木店

お客様感謝イベントのご案内

拝啓　時下ますますご清栄のこととお慶び申し上げます。平素より当店をご利用いただき、ご厚情のほど、心よりお礼申し上げます。

文字が挿入されます。

::::: 文字を上書きする

最初に「挿入モードと上書きモード」の切り替えが表示されるように設定します。**ステータスバー**を右クリックし、**上書き入力**をクリックします。

1 ステータスバーを右クリック

2 上書き入力をクリック

ステータスバーに「挿入モードと上書きモード」の切り替えが表示されます。ステータスバーの**挿入モード**をクリックします。

3 挿入モードをクリック

文字を上書きしたい位置をクリックしてマウスカーソルを置き、文字を入力すると、マウスカーソルの右側の文字が上書きされます。

4 文字を上書きしたい位置をクリックして入力

Section

93 文字を削除する

文書を作成した後に内容に間違いがあった場合は、文字を削除して修正しましょう。1字ずつ任意の文字を削除できます。また、文字の選択を使用して、一括で多くの文字を削除することも可能です。

⋮⋮⋮ 文字を削除する

削除する文字の右側をクリックしてマウスカーソルを置きます。

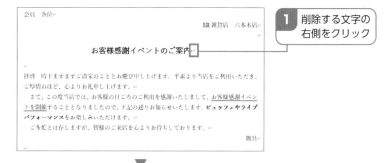

1 削除する文字の右側をクリック

キーボードの `Back space` を押すと、マウスカーソルの左側にある文字が1字ずつ削除されます。

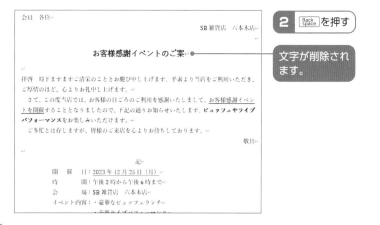

2 `Back space` を押す

文字が削除されます。

⠿ 文字を一括で削除する

削除する文字をドラッグして選択します。

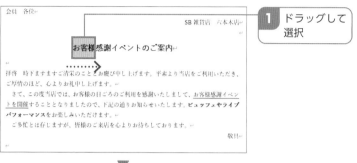

1 ドラッグして
選択

▼

キーボードの Delete または ⌫Back space を押すと、文字が一括で削除されます。

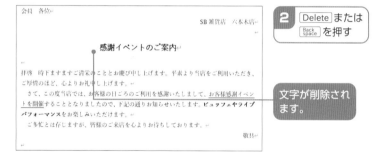

2 Delete または
⌫Back space を押す

文字が削除され
ます。

Hint

Delete で文字を削除する

削除したい文字の左側をクリック
してマウスカーソルを置き、キー
ボード Delete を押すと、マウス
カーソルの右側にある文字を1字
ずつ削除できます。

Delete を押す

文字を移動する

文字を選択して切り取り、目的の位置で貼り付けを行うと、スムーズに文字を移動することができます。選択した文字をドラッグすることでも移動が可能です。

::: 文字を切り取る

移動したい文字 (ここでは**資格**) をドラッグして選択します。

> **1** ドラッグして選択

ホームタブの**クリップボード**グループの「 ✂ 」をクリックすると、選択した文字を切り取ります。

> **2** 「 ✂ 」をクリック

::: 文字を移動する

文字を切り取った状態で、文字を移動する位置をクリックしてマウスカーソルを置きます。

> **1** クリックしてマウスカーソルを置く

ホームタブの**クリップボード**グループの**貼り付け**をクリックします。

2 貼り付けを
クリック

▼

貼り付けのオプションが表示されます。「📝」(元の書式を保持)をクリックすると、切り取った文字が移動します。

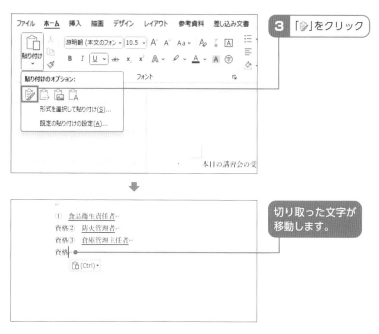

3 「📝」をクリック

切り取った文字が
移動します。

Hint

ドラッグで移動する

移動する文字を選択した後、選択箇所をクリックして任意の位置までドラッグすることでも文字を移動させることができます。

Section

95

文字を検索/置換する

文書の内容を確認する際などには「検索」が便利です。目的の文字を入力するだけで、文書内に入力されている箇所を表示できます。検索結果で強調して表示された文字は一括で「置換」することも可能です。

文字を検索する

ホームタブの**編集**グループの**編集**をクリックします。

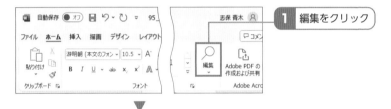

```
1 編集をクリック
```

検索をクリックします。

```
2 検索をクリック
```

文書作成画面の左側に**ナビゲーション**メニューが表示されたら、**文書の検索**欄に検索したい文字を入力し、[Enter]を押します。

```
3 文字を入力

4 [Enter]を押す
```

入力した文字が文書内にある場合、文字に黄色のマーカーが付いた状態になります。

文字が検索されました。

ナビゲーションメニューには、検索された文字を含む前後の文章が一覧表示されます。検索結果をクリックします。

5 検索結果をクリック

クリックした箇所の文字が強調されます。

文字が強調されます。

文字を置換する

ホームタブの**編集**グループの**編集**をクリックします。

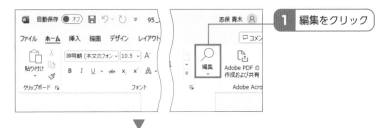

1 編集をクリック

置換をクリックします。

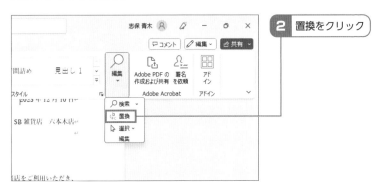

2 置換をクリック

検索と置換メニューが表示されます。**検索する文字列**欄に検索したい文字を、**置換後の文字列**欄に置き換えたい文字を入力します。

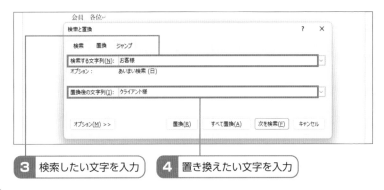

3 検索したい文字を入力

4 置き換えたい文字を入力

1つずつ置換したい場合は、**置換**をクリックします。

5 置換をクリック

文書内でいちばん先頭に位置する文字が置換されます。文書内のすべての
文字を置換したい場合は、**すべて置換**をクリックします。

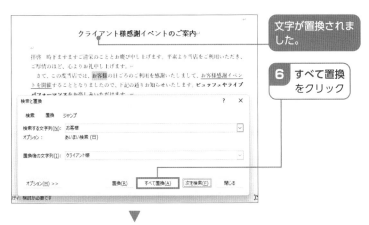

文字が置換されました。

6 すべて置換
をクリック

文書内のすべての文字が置換され、置換を行った個数が表示されます。

文字が置換されました。

263

96

誤字や脱字をチェックする

「スペルチェックと文章校正」を活用すると、文書内の誤字や脱字の検索、修正ができます。アルファベットを入力している場合は、スペルのミスも確認できます。

⠿ 誤字や脱字をチェックする

校閲タブの**文章校正**グループの**スペルチェックと文章校正**をクリックします。

1 スペルチェックと文章校正をクリック

誤字や脱字がある場合は、**文章校正**メニューが表示されます。**誤りのチェック**に表示されている候補 (ここでは**入力ミス?**) をクリックします。

文章校正メニューが表示されます。

2 入力ミス?をクリック

誤りと判断された理由を確認できます。

誤りの内容を確認できます。

修正をしたい場合は、**修正候補の一覧**から修正後の文字をクリックして選択します。

3 修正後の文字をクリック

文字が修正され、次の誤字や脱字の候補が表示されます。修正の必要がない場合は、**無視**をクリックします。

4 無視をクリック

すべての誤字と脱字を修正すると「文章の校正が完了しました。」と表示されます。**OK**をクリックすると、文書作成画面に戻ります。

5 OKをクリック

Hint 誤りのある箇所を読み上げる

文章校正メニューで「◁」をクリックすると、文書内の誤りのある箇所が音声で読み上げられます。

Section

97

表記のゆれをチェックする

「ユーザー」と「ユーザ」など、同じ意味の言葉が複数の表記で混在している状態のことを「表記のゆれ」といいます。ワードには、表記のゆれをチェックする機能があります。

▓ 表記のゆれをチェックする

校閲タブの言語グループの「🗒」をクリックします。

1 「🗒」をクリック

▼

表記ゆれがある場合は、**表記ゆれチェック**メニューが表示されます。表記ゆれがない場合は「文章の校正が完了しました。」と表示されます。

表記ゆれチェック
メニューが表示されます。

▼

対象となる表記の一覧欄に表記ゆれがある箇所が一覧表示されるので、修正する文字をクリックして選択します。

2 修正する文字を
クリック

266

修正候補欄から修正後の文字をクリックして選択し、**変換**をクリックします。文書内のすべての表記ゆれを修正したい場合は、**すべて修正**をクリックします。

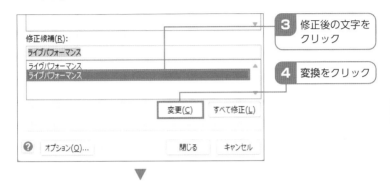

3 修正後の文字を
クリック

4 変換をクリック

修正が完了したら、**閉じる**をクリックします。

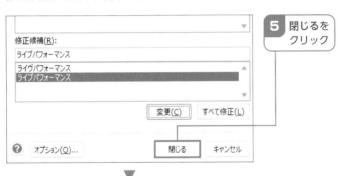

5 閉じるを
クリック

「文章の校正が完了しました。」と表示されます。**OK**をクリックすると、文書作成画面に戻ります。

6 OKをクリック

98 コメントを挿入する

文書内の任意の箇所に「コメント」を挿入することができます。コメントとは、文書にふせんを付けるようにメモを残すことができる機能です。他の人に内容を検討してほしいところを強調することができます。

::: コメントを挿入する

コメントを挿入する文字をドラッグして選択します。

1 ドラッグして選択

校閲タブの**コメント**グループの**新しいコメント**をクリックします。

2 新しいコメントをクリック

選択した文字にコメントが追加されます。**会話を始める**にコメントの内容を入力します。

3 コメントの内容を入力

コメントの内容を入力したら「▷」をクリックします。なお、「×」をクリックするとコメントが削除されます。

4 ▷をクリック

▼

コメントが追加されます。

コメントが追加されました。

Hint

コメントを編集する

追加したコメントの「✏」をクリックすると、コメントの内容を編集できるようになります。

「✏」をクリックして編集

269

::: コメントに返信する

返信するコメントの**返信**をクリックし、返信内容を入力します。

1 返信をクリック

2 返信内容を入力

▼

返信の内容を入力したら「▷」をクリックします。

3 「▷」をクリック

▼

コメントへの返信が追加されます。

返信が追加されました。

第 10 章

表や図の挿入

Section

99

表を作成する

任意の行数、列数の表を作成することができます。行数や列数を数値で入力して作成する方法の他にも、表示されたグリッドをドラッグして直感的に作成する方法があります。

⠿ 行数や列数を指定して表を作成する

表を作成する位置をクリックしてマウスカーソルを置きます。

1 表を作成する 位置をクリック

挿入タブの表グループの表をクリックします。

2 表をクリック

表の挿入をクリックします。

3 表の挿入を クリック

表の挿入メニューが表示されます。**列数**と**行数**にそれぞれ数値を入力し、OK をクリックすると、表が作成されます。

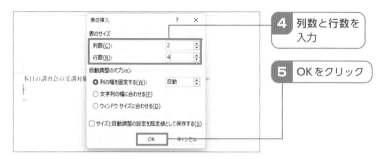

4 列数と行数を入力

5 OK をクリック

▦ ドラッグで行数や列数を指定する

挿入タブの**表**グループの**表**をクリックします。グリッド上でマウスカーソルを移動すると、作成される表の行数、列数が表示されます。作成したい表の行数、列数の位置までドラッグすると、表が作成されます。

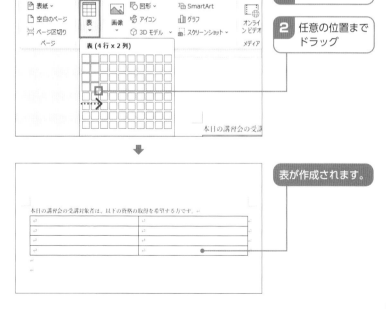

1 表をクリック

2 任意の位置までドラッグ

表が作成されます。

Section

100 表の行や列を追加/削除する

作成した表は、後から行数や列数を追加したり、削除したりして調整することができます。行数や列数の調整は、表の選択中にのみ表示される［レイアウト］タブから行います。

行を追加する

追加する位置の上の行をクリックしてマウスカーソルを置きます。

1 追加する位置の上の行をクリック

▼

表をクリックしたときに表示される**レイアウト**タブの**行と列**グループの**下に行を挿入**をクリックします。

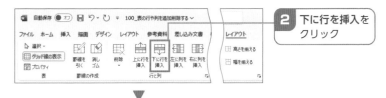

2 下に行を挿入をクリック

▼

選択した行の下に、行が追加されます。

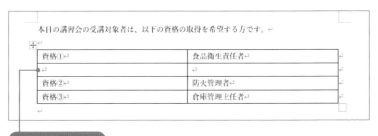

行が追加されます。

::: 行を削除する

削除する行をクリックしてマウスカーソルを置きます。

1 削除する行を
クリック

▼

表をクリックしたときに表示される**レイアウト**タブの**行と列**グループの**削除**をクリックします。

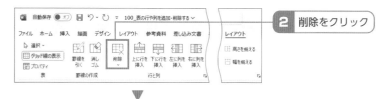

2 削除をクリック

▼

ここでは、**行の削除**をクリックします。

3 行の削除を
クリック

▼

選択した行が削除されます。

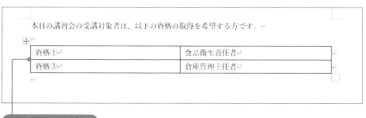

行が削除されます。

列を追加する

追加する位置の右の列をクリックしてマウスカーソルを置きます。

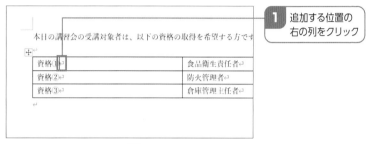

1 追加する位置の右の列をクリック

▼

表をクリックしたときに表示される**レイアウト**タブの**行と列**グループの**左に列を挿入**をクリックします。

2 左に列を挿入をクリック

▼

選択した列の左に、列が追加されます。

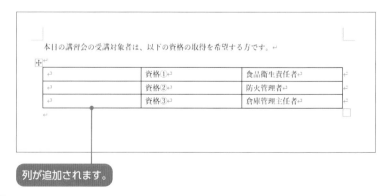

列が追加されます。

列を削除する

削除する列をクリックしてマウスカーソルを置きます。

1 削除する列を
　クリック

▼

表をクリックしたときに表示される**レイアウト**タブの**行と列**グループの**削除**をクリックします。

2 削除をクリック

▼

ここでは、**列の削除**をクリックします。

3 列の削除を
　クリック

▼

選択した列が削除されます。

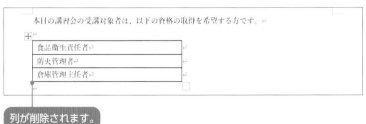

列が削除されます。

Section

101 表の大きさを変更する

行や列の高さ、幅は自由に変更することができます。表内の文字数や文字の大きさによって表の大きさを調整することで、より見やすい表にすることができます。

表の高さを変更する

高さを変更する行をクリックしてマウスカーソルを置きます。

> 本日の講習会の受講対象者は、以下の資格の取得を希望する方で
>
> | 資格① | 食品衛生責任者 |
> | 資格② | 防火管理者 |
> | 資格③ | 倉庫管理主任者 |

1 高さを変更する 行をクリック

▼

表をクリックしたときに表示される**レイアウト**タブの**セルのサイズ**グループの**高さ**（ここでは**6.4mm**）をクリックします。

2 6.4mmを クリック

▼

高さが入力できるようになります。任意の高さを入力し、[Enter]を押します。

3 任意の高さを入力　　**4** [Enter]を押す

高さが変更されます。

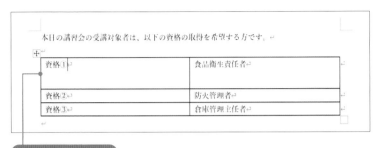

⠿ 表の幅を変更する

幅を変更する行をクリックしてマウスカーソルを置き、表をクリックした
ときに表示される**レイアウト**タブの**セルのサイズ**グループの**幅**をクリック
します。任意の幅を入力し、Enter を押します。

幅が変更されます。

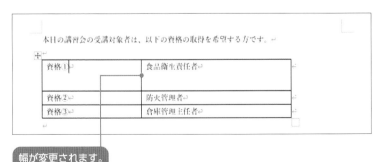

表内の文字の配置を設定する

表内の文字は右や左、中央、上下に揃えることができます。表の項目名を中央揃えに、表内の文章を左揃えにするといったルールを設けて作成すると、とても見やすい表になります。

::: 表内の文字の配置を設定する

文字の配置を設定する箇所をクリックしてマウスカーソルを置きます。

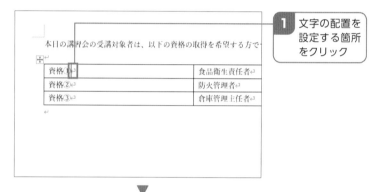

1 文字の配置を設定する箇所をクリック

▼

表をクリックしたときに表示される**レイアウト**タブの**配置**グループから設定したい配置 (ここでは「□」(中央揃え)) をクリックします。

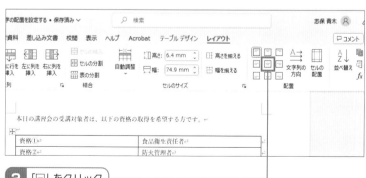

2 「□」をクリック

選択した箇所の文字の配置が中央揃えになります。

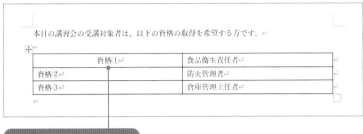

文字の配置が設定されます。

 Hint

表内の文字の方向を設定する

表内の文字の方向も変更することができます。文字の方向を設定したい箇所をクリックしてマウスカーソルを置き、表をクリックしたときに表示される**レイアウト**タブの配置グループの**文字列の方向**をクリックします。選択した箇所の文字の方向が縦書きになります。

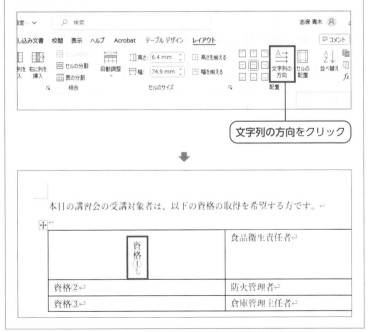

文字列の方向をクリック

103

表内の数値を計算する

商品の売り上げや試験の得点といった合計や平均などを求めたい場合は、「計算式」を使って計算しましょう。ここでは、試験の合計点を求める方法を解説します。

表内の数値を計算する

合計点を表示する箇所をクリックしてマウスカーソルを置きます。

1 合計点を表示する箇所をクリック

表をクリックしたときに表示される**レイアウト**タブの**データ**グループの**計算式**をクリックします。

2 計算式をクリック

計算式メニューが表示されたら、**表示形式**の「ˇ」をクリックします。

3 「ˇ」をクリック

表示形式が一覧表示されます。ここでは **0** をクリックします。

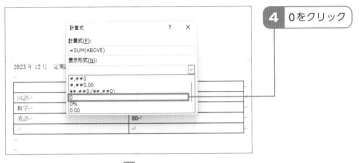

4 0をクリック

OK をクリックします。

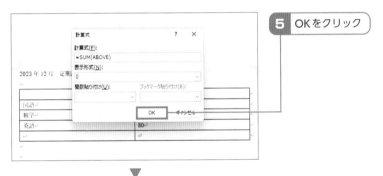

5 OKをクリック

選択した箇所に合計点が表示されます。

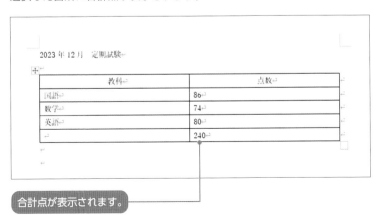

合計点が表示されます。

104 エクセルの表を貼り付ける

ワードで作成している文書に、エクセルで作成した表を貼り付けることができます。ワードでも表を作成することはできますが、文書はワード、表はエクセルと作業を分けることも効率が上がる手段の1つです。

⠿ エクセルの表をコピーする

コピー元のエクセルファイルを開き、ワードに貼り付けたい表をドラッグして選択します。

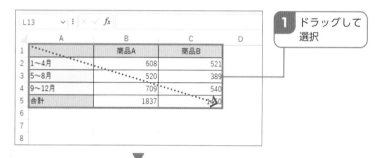

1 ドラッグして選択

▼

ホームタブの**クリップボード**グループの「⧉」をクリックします。

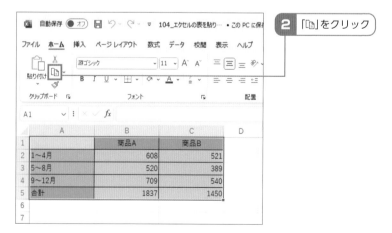

2 「⧉」をクリック

::: コピーした表を貼り付ける

ワードファイルを開き、表を貼り付ける箇所をクリックしてマウスカーソルを置きます。

1 表を貼り付ける箇所をクリック

ホームタブの**クリップボード**グループの**貼り付け**をクリックします。

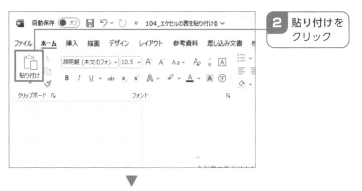

2 貼り付けをクリック

エクセルの表がワードの文書内に貼り付けられます。

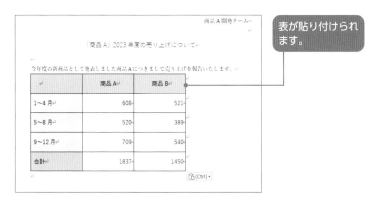

表が貼り付けられます。

105 図形を挿入する

ワードにはさまざまな図形が用意されており、任意の位置、大きさで文書内に挿入することができます。挿入した図形は後から大きさや角度を調整することも可能です。

図形を挿入する

挿入タブの**図**グループの**図形**をクリックします。

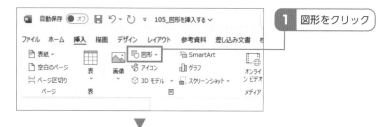

1 図形をクリック

図形が一覧表示されたら、挿入する図形 (ここでは「⇨」) をクリックします。

2 「⇨」をクリック

マウスカーソルの形が「+」になります。図形を挿入する位置をクリックし、任意の大きさになるまでドラッグします。

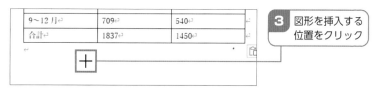

3 図形を挿入する位置をクリック

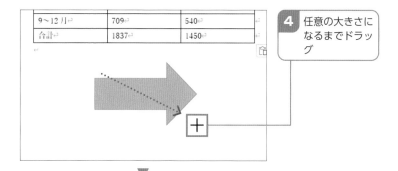

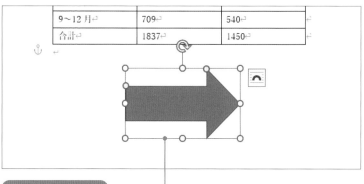

図形が挿入されます。

図形が挿入されます。

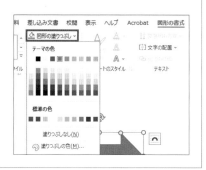

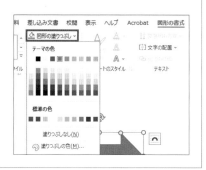

> **Hint** 図形の色を変更する
>
> 図形をクリックしたときに表示される図形の書式タブの図形のスタイルグループの図形の塗りつぶしから任意の色をクリックすると、図形の色を変更できます。

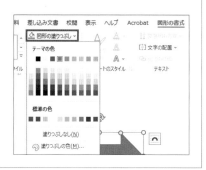

9~12 月	709	540
合計	1837	1450

4 任意の大きさになるまでドラッグ

10

表や図の挿入

287

Section

106 文章内に図形を入れ込む

初期設定のままで図形を挿入すると、図形が文章の前面にかぶさるように配置されます。「レイアウトオプション」の「文字列の折り返し」の変更によって、文章内に図形を入れ込むことができます。

文章内に図形を入れ込む

挿入タブの**図**グループの**図形**をクリックします。

> 1 図形をクリック

図形が一覧表示されたら、挿入する図形 (ここでは「□」) をクリックします。

> 2 「□」をクリック

任意の位置と大きさで図形を挿入し、「⌃」をクリックします。

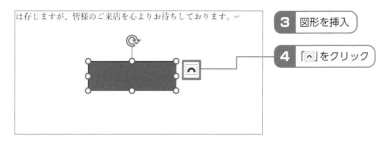

> 3 図形を挿入

> 4 「⌃」をクリック

レイアウトオプションメニューが表示されたら、**文字列の折り返し**の「⌒」（四角形）をクリックします。

5 「⌒」をクリック

文章が文字の周りで折り返されるように設定されました。文章内に図形をドラッグして移動し、図形を入れ込みます。

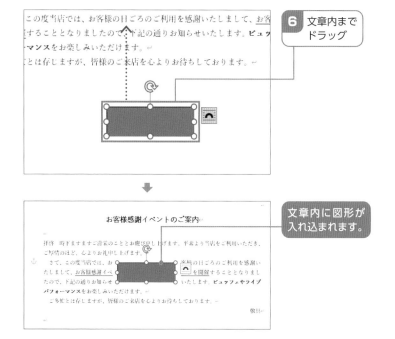

6 文章内までドラッグ

文章内に図形が入れ込まれます。

図形を変形 / 回転する

文書内に挿入した図形は、大きさや角度の調整が可能です。図形の周りのアイコンを任意の位置までドラッグするだけなので、直感的な操作で変形や回転ができます。

図形を変形する

図形をクリックして選択し、「○」をクリックします。

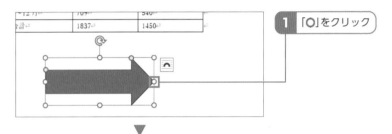

1 「○」をクリック

図形を変形できる状態になります。任意の大きさになるまでドラッグすると、図形が変形します。

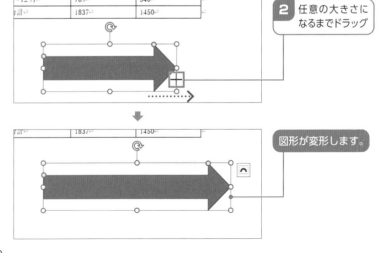

2 任意の大きさになるまでドラッグ

図形が変形します。

図形を回転する

図形をクリックして選択し、「⟳」をクリックします。

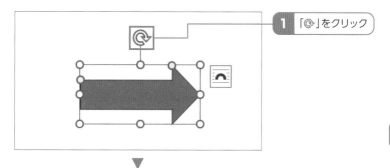

1 「⟳」をクリック

▼

図形を回転できる状態になります。任意の角度になるまで「⟳」を動かすと、図形が回転します。

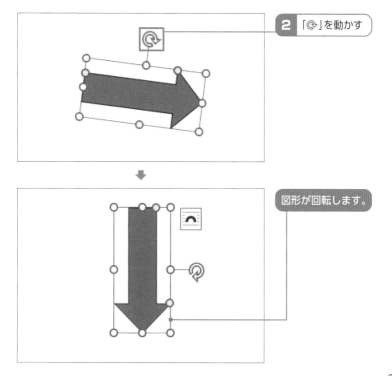

2 「⟳」を動かす

図形が回転します。

Section

108 図形のスタイルを変更する

[図形の書式] タブの [図形のスタイル] グループにはさまざまなスタイル
が用意されています。ここで任意のスタイルをクリックして選択するだけ
で、図形の色や効果をまとめて変更できます。

▦ 図形のスタイルを変更する

図形をクリックしたときに表示される**図の形式**タブの**図形のスタイル**グ
ループの「▿」をクリックします。

1 「▿」をクリック

スタイルが一覧表示されたら、設定するスタイルをクリックします。

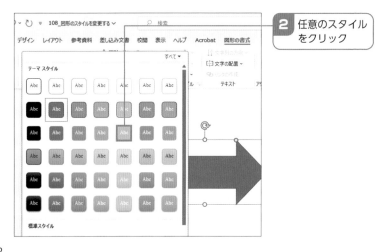

2 任意のスタイル
をクリック

図形のスタイルが変更されます。

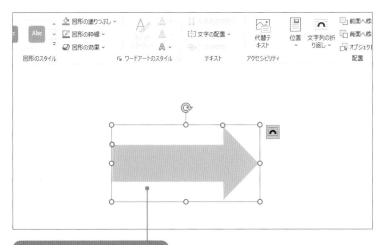

図形のスタイルが変更されます。

 Hint

図形内に文字を入力する

図形をクリックして選択した状態で文字を入力すると、図形内に文字を表示させることができます。図形内の文字も文書と同様に書体や大きさ、色の変更が可能です。

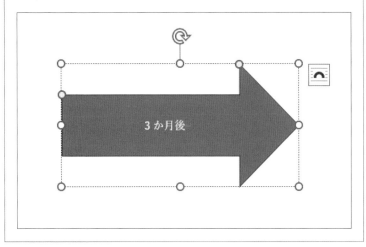

練習用ファイル 109_図形の位置を整える.docx

図形の位置を整える

挿入した図形は位置を自由に調整できます。ドラッグして移動する方法もありますが、「配置」を活用すると、右揃えや中央揃えなど正確な位置に移動させることが可能です。

図形の位置を整える

位置を整える図形をクリックして選択し、図形をクリックしたときに表示される**図形の書式**タブの配置グループの「┣」をクリックします。

1 「┣」をクリック

配置 (ここでは**左右中央揃え**) をクリックすると、図形の位置が文書の中央に整えられます。

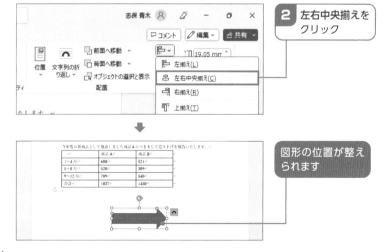

2 左右中央揃えをクリック

図形の位置が整えられます

図形を整列させる

整列させる図形を選択します。

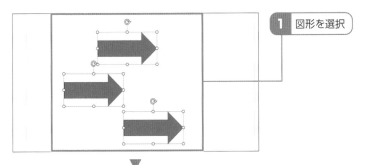

1 図形を選択

図形をクリックしたときに表示される**図形の書式**タブの**配置**グループの「▣」をクリックします。配置（ここでは**左揃え**）をクリックすると、図形が整列します。

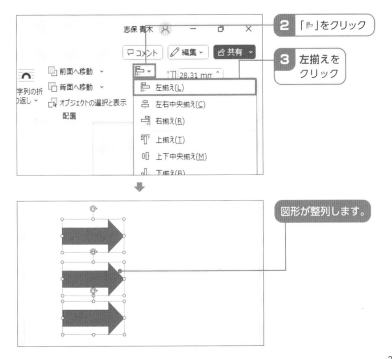

2 「▣」をクリック

3 左揃えを
クリック

図形が整列します。

110

写真を挿入する

文書に写真を挿入することができます。ここでは、パソコンに保存している写真を挿入する方法について紹介します。挿入した写真は、図形と同じように移動や変形、回転などで調整できます。

写真を挿入する

挿入タブの図グループの**画像**をクリックします。

> 1 画像をクリック

画像の挿入元を選択します。パソコンに保存した写真を挿入する場合は、**このデバイス…**をクリックします。

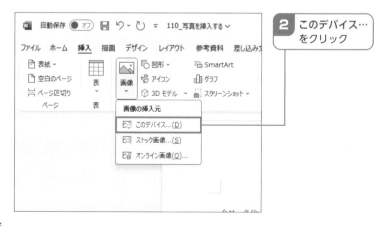

> 2 このデバイス…
> をクリック

図の挿入メニューが表示されたら、挿入したい写真をクリックして選択し、**挿入**をクリックします。

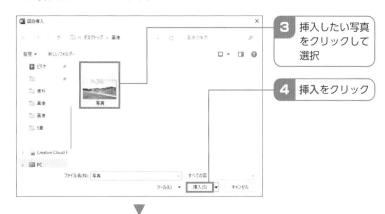

3 挿入したい写真をクリックして選択

4 挿入をクリック

文書に写真が挿入されます。図形と同様に、移動や変形、回転をして、位置を調整します。

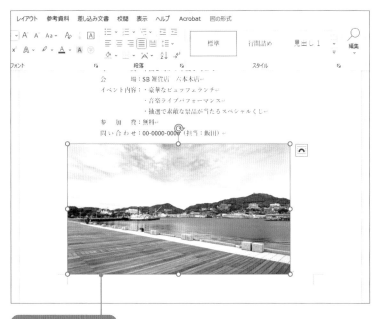

写真が挿入されます。

Section

111

写真を切り抜く

文書内に挿入した写真は「トリミング」によって任意の位置で切り抜くことができます。なお、トリミングされた箇所はファイルから削除されていないため、一度切り抜いた後でも再編集が可能です。

写真を切り抜く

写真をクリックして選択します。

1 写真をクリックして選択

画像をクリックしたときに表示される**図の形式**タブの**サイズ**グループの**トリミング**をクリックします。

2 トリミングをクリック

写真のふちに表示される「 」をドラッグして位置を調整し、**トリミング**をクリックすると写真が切り抜かれます。

3 「 」をドラッグして
切り抜く位置を調整

4 トリミングをクリック

縦横の比率を決めて写真を切り抜く

図の形式タブのサイズグループのトリミングの下にある「 」をクリックし、**縦横比**をクリックすると、トリミングサイズの縦横比を「1：1」や「16：9」などから選択できます。

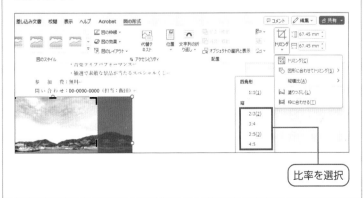

比率を選択

練習用ファイル 112_ワードアートを挿入する.docx

ワードアートを挿入する

さまざまな装飾やデザイン効果を付けられるテキストを「ワードアート」といいます。数多くのワードアートのスタイルが用意されていて、スタイルを選択して文字を入力するだけで簡単に文書内に挿入できます。

ワードアートを挿入する

挿入タブのテキストグループのワードアートをクリックします。

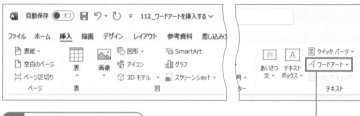

1 ワードアートをクリック

ワードアートの一覧が表示されたら、挿入するワードアート (ここでは「A」) をクリックします。

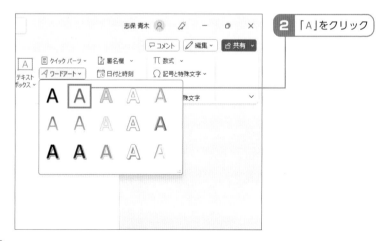

2 「A」をクリック

▦ ワードアートに文字を入力する

追加されたワードアートの**ここに文字を入力**をクリックして、文字を入力
します。

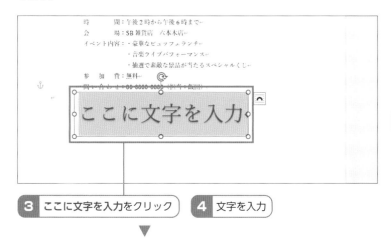

[3] ここに文字を入力をクリック   [4] 文字を入力

文字が入力されます。図形と同様に、移動や変形、回転をして、デザイン
を調整します。

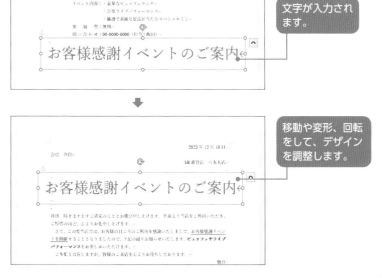

文字が入力され
ます。

移動や変形、回転
をして、デザイン
を調整します。

Section

113

SmartArtを挿入する

「SmartArt」(スマートアート)とは、情報を視覚的に整理してわかりやすく表現するツールです。手順や階層構造、ピラミッド図などのスタイルが用意されており、文字を入力するだけで図表を作成できます。

SmartArtを挿入する

SmartArtを挿入する位置をクリックしてマウスカーソルを置きます。

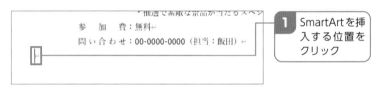

挿入タブの図グループのSmartArtをクリックします。

SmartArtグラフィックの選択メニューが表示されたら、挿入するSmartArtをクリックして選択し、OKをクリックします。

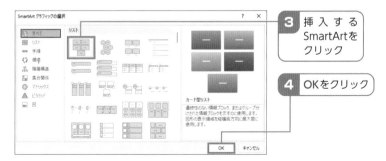

::: SmartArt に文字を入力する

追加された SmartArt の**テキスト**をクリックして、文字を入力します。

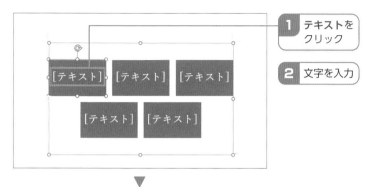

1 テキストを
クリック

2 文字を入力

文字が入力されます。図形と同様に、移動や変形、回転をして、デザイン
を調整します。

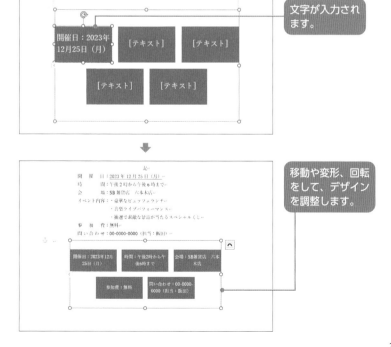

文字が入力され
ます。

移動や変形、回転
をして、デザイン
を調整します。

303

Section

114

3Dモデルを挿入する

動物や絵文字、家具などの立体的なモデルを文書内に挿入できる機能が「3Dモデル」です。効果的に挿入することで、多くの人の目を引く文書になります。挿入したモデルは、向きを360度から自由に設定できます。

3Dモデルを挿入する

3Dモデルを挿入する位置をクリックしてマウスカーソルを置きます。

1 3Dモデルを挿入する位置をクリック

挿入タブの図グループの**3Dモデル**をクリックします。

2 3Dモデルをクリック

オンライン3Dモデルメニューが表示されたら、挿入する3Dモデルのカテゴリ(ここでは**絵文字**)をクリックします。

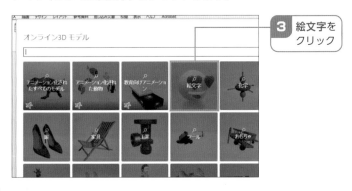

3 絵文字をクリック

絵文字の一覧が表示されたら、挿入する3Dモデルをクリックして選択し、**挿入**をクリックします。

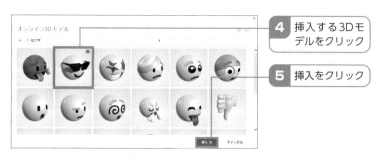

4 挿入する3Dモデルをクリック

5 挿入をクリック

3Dモデルが挿入されます。「⊚」をドラッグすると3Dモデルの向きを調整できます。図形と同様に、移動や変形、回転をして、デザインを調整します。

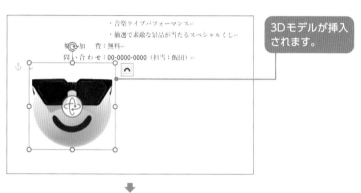

3Dモデルが挿入されます。

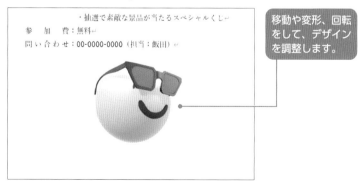

移動や変形、回転をして、デザインを調整します。

Section

115

背景に透かしを入れる

「透かし」とは文書の背景に薄く表示する文字のことで、文書を手に取る人に確実にメッセージを伝えることができます。ワードでは文書に「社外秘」や「コピー厳禁」といった透かしを追加できます。

背景に透かしを入れる

デザインタブの**ページの背景**グループの**透かし**をクリックします。

1 透かしを
クリック

透かしが一覧表示されたら、追加する透かし (ここでは**社外秘1**) をクリックします。

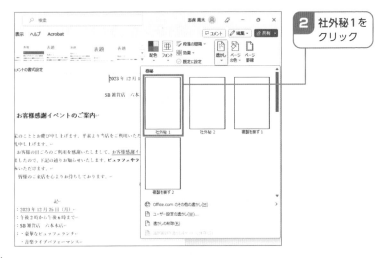

2 社外秘1を
クリック

選択した透かしが文書に追加されます。

透かしが追加されます。

▼

透かしを削除したいときは、**デザイン**タブの**ページの背景**グループの**透かし**をクリックし、**透かしの削除**をクリックします。

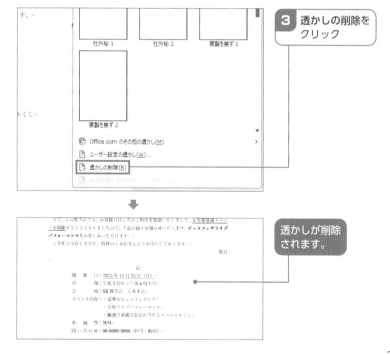

3 透かしの削除を
クリック

透かしが削除
されます。

⚏ 透かしの文字を編集する

透かしの文字は自由に変更できます。**デザイン**タブの**ページの背景**グループの**透かし**をクリックし、**ユーザー設定の透かし**をクリックします。

1 ユーザー設定の透かしをクリック

透かしメニューが表示されたら、**テキスト**をクリックします。

2 テキストをクリック

テキストに透かしにする文字を入力し、**OK**をクリックすると、文書に透かしが追加されます。

3 透かしにする文字を入力

4 OKをクリック

第 11 章

印刷の詳細設定

116 両面に印刷する

作成した文書が2ページ以上になった場合は、両面印刷するかどうかを選択できます。初期設定では、片面印刷に設定されているので、両面に印刷したいときは［印刷］メニューから設定を変更します。

両面に印刷する

ファイルをクリックします。

1 ファイルをクリック

▼

印刷をクリックします。

2 印刷をクリック

印刷メニューが表示されたら、**片面印刷**をクリックします。

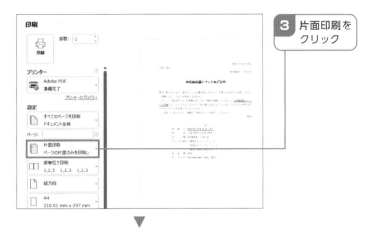

3 片面印刷を
クリック

▼

手動で両面印刷をクリックすると、印刷設定が変更されます。

4 手動で両面印刷
をクリック

印刷設定が変更
されます。

Section

117

練習用ファイル 117_ページ番号を設定する.docx

ページ番号を設定する

[挿入] タブからページ番号を設定することができます。スタイルを選択するだけで、1ページ目に「1」、2ページ目に「2」とすべてのページに番号が追加されます。

ページ番号を設定する

挿入タブの**ヘッダーとフッター**グループの**ページ番号**をクリックします。

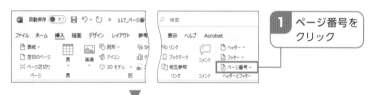

> **1** ページ番号を
> クリック

ページ番号を挿入できる位置の一覧が表示されます。ここでは、**ページの下部**をクリックします。

> **2** ページの下部を
> クリック

ページ番号のスタイルが一覧表示されます。ここでは、**番号のみ2**をクリックします。

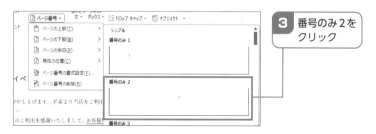

> **3** 番号のみ2を
> クリック

ページ番号の編集画面が表示されます。「1」と表示されますが、任意の数字を入力することでページ番号を編集することも可能です。

ページ番号の編集画面が表示されます。

▼

ヘッダーとフッターを閉じるをクリックします。

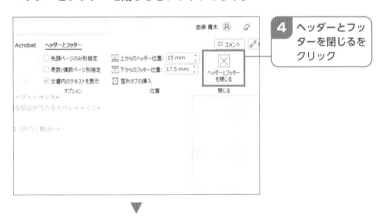

4 ヘッダーとフッターを閉じるをクリック

▼

文書作成画面に戻り、ページ番号が追加されていることを確認できます。

ページ番号が追加されます。

Section

118 ページを指定して印刷する

複数のページがある文書から2ページ目だけを印刷したい、といった場合は、ページ番号を指定して印刷をしましょう。他にも、2ページ目と6ページ目、3ページから5ページといったような指定も可能です。

ページを指定して印刷する

ファイルをクリックします。

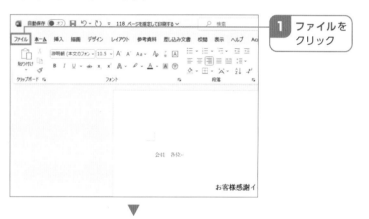

1 ファイルをクリック

▼

印刷をクリックします。

2 印刷をクリック

印刷メニューが表示されたら、**ページ**欄に印刷したいページの番号を入力します。2ページ目だけを印刷したい場合は「**2**」、2ページ目と6ページ目を印刷したい場合は「**2,6**」、3ページから5ページを印刷したい場合は「**3-5**」といったように入力します。

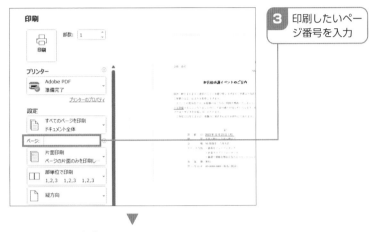

3 印刷したいページ番号を入力

印刷するページが指定されます。

ページが指定されます。

119 表紙を設定する

文書に表紙を設定することができます。表紙はさまざまなスタイルが用意
されているので、好みのものや文書の内容に合ったものが見つかります。
表紙を設定したら、タイトルやサブタイトルを入力しましょう。

表紙を設定する

挿入タブのページグループの表紙をクリックします。

1 表紙をクリック

表紙のスタイルの一覧が表示されます。ここでは、**イオン（濃色）**をク
リックします。

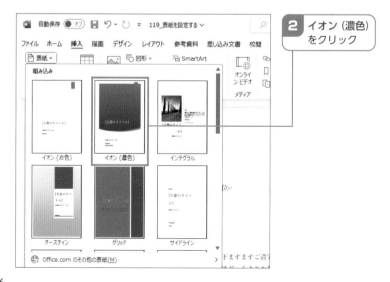

2 イオン（濃色）
をクリック

表紙が追加されます。**文書のタイトル**や**文書のサブタイトル**をクリックして文字を入力すると、タイトルやサブタイトルを設定できます。

3 クリックして
文字を入力

表示を削除したい場合は、**挿入**タブの**ページ**グループの**表紙**をクリックし、**現在の表紙を削除**をクリックします。

4 現在の表紙を
削除をクリック

Section

120 ページ区切りを設定する

作成した文書のページやセクションを区切りたいときは「ページ区切り」を活用しましょう。改行を繰り返さなくても、次のページから開始したり、行を折り返したりできます。

⠿ ページ区切りを設定する

ここでは「改ページ」を設定します。ページを区切りたい位置をクリックしてマウスカーソルを置きます。

> **1** ページを区切りたい位置をクリック

▼

レイアウトタブの**ページ設定**グループの**区切り**をクリックします。

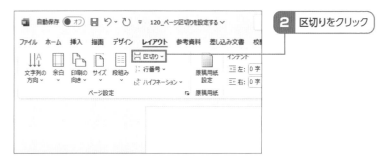

> **2** 区切りをクリック

改ページをクリックします。

3 改ページを
クリック

▼

ページ区切りが設定されます。ここでは、マウスカーソルを置いた位置が
次のページに移動しています。

ページ区切りが設定されます。

121 冊子を作成する

練習用ファイル 121_冊子を作成する.docx

「イベントで配布する小冊子を作りたい」という場合もワードを活用して
みましょう。複数ページの印刷設定から印刷の形式を指定するだけで冊子
を作成することができます。

⠿ 冊子を作成する

レイアウトタブのページ設定グループの「⤢」をクリックします。

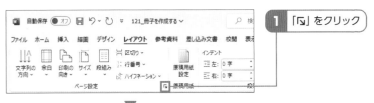

1 「⤢」をクリック

ページ設定メニューが表示されたら、印刷の形式 (ここでは標準) をク
リックします。

2 標準をクリック

本 (縦方向に谷折り) をクリックします。

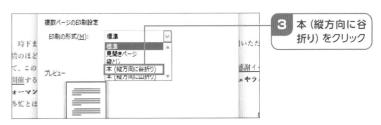

3 本 (縦方向に谷
折り) をクリック

次に用紙サイズの設定をします。**用紙**をクリックします。

4 用紙をクリック

用紙サイズ（ここでは**A4**）をクリックして任意の用紙サイズを設定します。冊子の最終的なサイズは、設定した用紙サイズの半分の幅になります。ここでは、A4の冊子を作成したいので、**A3**をクリックします。

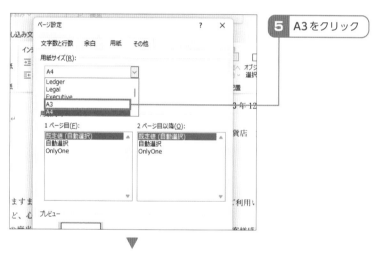

5 A3をクリック

OKをクリックします。

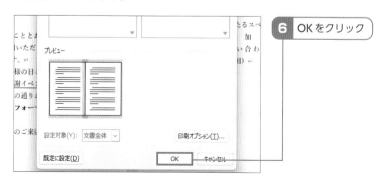

6 OKをクリック

Section

122 はがきの宛名を作成する

練習用ファイル 122_はがきの宛名を作成する.docx

「はがき宛名面印刷ウィザード」からはがきを作成することができます。
指示に従ってはがきの種類や様式をクリックして選択するだけなので簡単
です。ここでは宛名面を作成する方法を紹介します。

宛名面を作成する

差し込み文書タブの作成グループのはがき印刷をクリックします。

1 はがき印刷を
クリック

宛名面の作成をクリックします。

2 宛名面の作成
をクリック

はがき宛名面印刷ウィザードが表示されたら、次へをクリックします。

3 次へをクリック

322

はがきの種類を選択できます。ここでは、**年賀/暑中見舞い**をクリックして選択し、**次へ**をクリックします。

4 年賀/暑中見舞いをクリック

5 次へをクリック

▼

様式を縦書き/横書きから選択できます。ここでは、**縦書き**をクリックして選択し、**次へ**をクリックします。

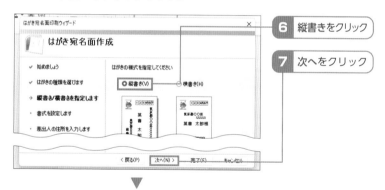

6 縦書きをクリック

7 次へをクリック

▼

宛名の**フォント**を変更できますここでは、**MS明朝**をクリックして選択し、**次へ**をクリックします。

8 MS明朝をクリック

9 次へをクリック

差出人の住所を入力し、**次へ**をクリックします。

差出人の住所を入力します

10 住所を入力

11 次へをクリック

住所録の指定や宛名の敬称を設定できます。ここでは標準のまま、**次へ**を
クリックします。

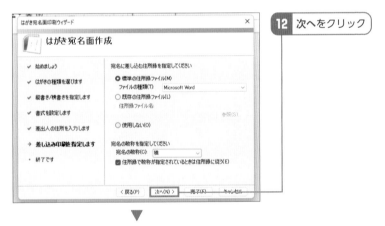

12 次へをクリック

完了をクリックします。

13 完了をクリック

⦙⦙⦙ 宛名を入力して印刷する

はがきの宛名の編集画面が表示されます。郵便番号や住所、名前を入力します。

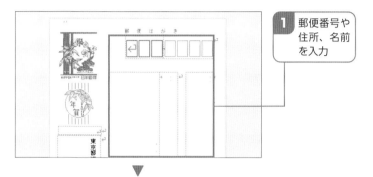

1 郵便番号や住所、名前を入力

▼

はがきの宛名の入力を終えたら、**ファイル**をクリックします。

2 ファイルをクリック

▼

印刷をクリックして**印刷**メニューを表示し、**印刷**をクリックします。

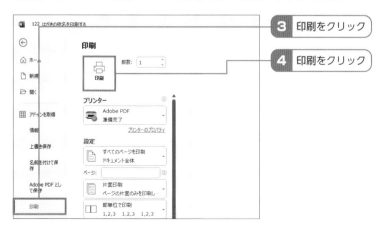

3 印刷をクリック

4 印刷をクリック

はがきの文面を作成する

次は、はがきの文面を作成しましょう。「はがき文面印刷ウィザード」を利用すると、文字や様式、イラストなどを用意されている複数の項目から選択するだけで文面が完成します。

▦ 文面を作成する

差し込み文書タブの作成グループのはがき印刷をクリックします。

> 1 はがき印刷をクリック

文面の作成をクリックします。

> 2 文面の作成をクリック

はがき文面印刷ウィザードが表示されます。ここでは、次へをクリックします。

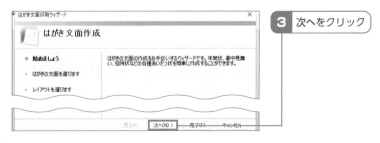

> 3 次へをクリック

はがきの文面を選択できます。ここでは、**年賀状**をクリックして選択し、**次へ**をクリックします。

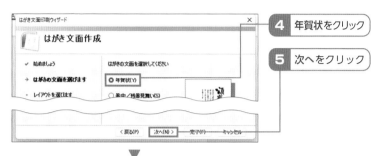

4 年賀状をクリック

5 次へをクリック

レイアウトや題字、イラスト、あいさつ文を選択できます。任意の項目を選択して、**次へ**をクリックします。

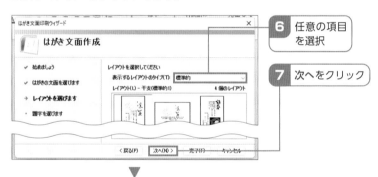

6 任意の項目を選択

7 次へをクリック

差出人の住所を入力して**次へ**をクリックし、次の画面で**完了**をクリックすると、はがきの文面が表示されます。

8 住所を入力

9 次へをクリック

エクセルで 使 え る ショートカットキー

Ctrl + S	ファイルの上書き保存
Ctrl + Z	直前の操作を元に戻す
Ctrl + Y	元に戻した操作をやり直す
Ctrl + C	選択したセルをコピーする
Ctrl + V	コピーした内容を貼り付ける
Ctrl + X	選択したセルを切り取る
Ctrl + D	選択した範囲の中で、いちばん上の行のセルの内容をいちばん下までコピーして貼り付ける
Ctrl + R	選択した範囲の中で、いちばん左の列のセルの内容をいちばん右までコピーして貼り付ける

Ctrl + Shift + 6	セルに外枠の罫線を引く
Ctrl + B	太字の書式設定をする
Ctrl + I	斜体の書式設定をする
Ctrl + U	下線の書式設定をする
Ctrl + 5	取り消し線の書式設定をする
Ctrl + N	新しいブックの作成
Ctrl + W	選択しているブックを閉じる
Ctrl + Page Up	前のワークシートを表示する
Ctrl + Page Down	次のワークシートを表示する
Shift + F11	新しいワークシートを挿入する
Alt + F1	現在の範囲からグラフを作成する
Alt + F4	エクセルを終了する
Alt + Enter	セル内で文字を改行する

ワードで 使える ショートカットキー

Ctrl + S	ファイルの上書き保存
Ctrl + Z	直前の操作を元に戻す
Ctrl + Y	元に戻した操作をやり直す
Ctrl + C	選択した文字をコピーする
Ctrl + V	コピーした内容を貼り付ける
Ctrl + X	選択した文字を切り取る
Ctrl + Shift + Home	カーソル位置から文書の先頭までを選択する
Ctrl + Shift + End	カーソル位置から文書の末尾までを選択する

Shift + ↑ ↓ ← →	選択範囲を上下左右に拡大/縮小する
Ctrl + B	太字の書式設定をする
Ctrl + I	斜体の書式設定をする
Ctrl + U	下線の書式設定をする
Ctrl + 5	取り消し線の書式設定をする
Ctrl + N	新しい文書の作成
Ctrl + W	選択している文書を閉じる
Ctrl + Home	文書の先頭に移動する
Ctrl + End	文書の末尾に移動する
Ctrl + Page Up	前ページの先頭に移動する
Ctrl + Page Down	次ページの先頭に移動する
Alt + F4	ワードを終了する
Shift + F5	前の編集箇所に移動する

索引 index

基本操作

エクセル

ワード

英数字

あ行

か行

さ行

本書の注意事項

・本書に掲載されている情報は、2023年11月現在のものです。本書の発行後にExcelと
　Wordの機能や操作方法、画面が変更された場合は、本書の手順どおりに操作できなくなる
　可能性があります。

・本書に掲載されている画面や手順は一例であり、すべての環境で同様に動作することを保
　証するものではありません。利用環境によって、紙面とは異なる画面、異なる手順となる
　場合があります。

・読者固有の環境についてのお問い合わせ、本書の発行後に変更された項目についてのお問
　い合わせにはお答えできない場合があります。あらかじめご了承ください。

・本書に掲載されている手順以外についてのご質問は受け付けておりません。

・本書の内容に関するお問い合わせに際して、お電話によるお問い合わせはご遠慮ください。

著者紹介

青木 志保 （あおき・しほ）

福岡県出身。大学在学時からテクノロジーに関する記事の執筆などで活動。

現在は、研修やワークショップ、セミナーの講師をしながら、ITライターとしても「誰にで
もわかりやすい」をモットーに執筆、情報発信を続けている。

・本書へのご意見・ご感想をお寄せください。

URL：https://isbn2.sbcr.jp/23487/

Excel & Wordの基本が学べる教科書
エクセル　アンド　ワード　　　き ほん　　まな　　きょう か しょ

2023年　12月28日　初版第1刷発行
2024年　　3月25日　初版第2刷発行

著者 ……………………………… 青木 志保
　　　　　　　　　　　　　　　 あお き　し ほ
発行者 ………………………… 小川 淳
発行所 ………………………… SBクリエイティブ株式会社
　　　　　　　　　　　　　　 〒105-0001 東京都港区虎ノ門2-2-1
　　　　　　　　　　　　　　 https://www.sbcr.jp/
印刷・製本 ………………… 株式会社シナノ
カバーデザイン ………… 小口 翔平＋畑中 茜（tobufune）

Printed in Japan ISBN 978-4-8156-2348-7